Gosick 1

櫻庭一樹
Kazuki Sakuraba

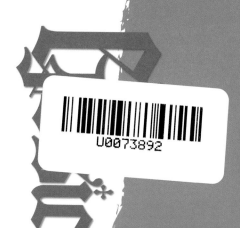

封面、內文插畫／武田日向

Contents

她好奇地緊追著兔子，只看見牠鑽進圍籬下的大洞。

不管三七二十一的愛麗絲立刻就跟進洞裡，完全沒有考慮到之後要怎麼出來。

——《愛麗絲夢遊仙境》路易斯・卡羅

楠悅郎譯　新樹館出版

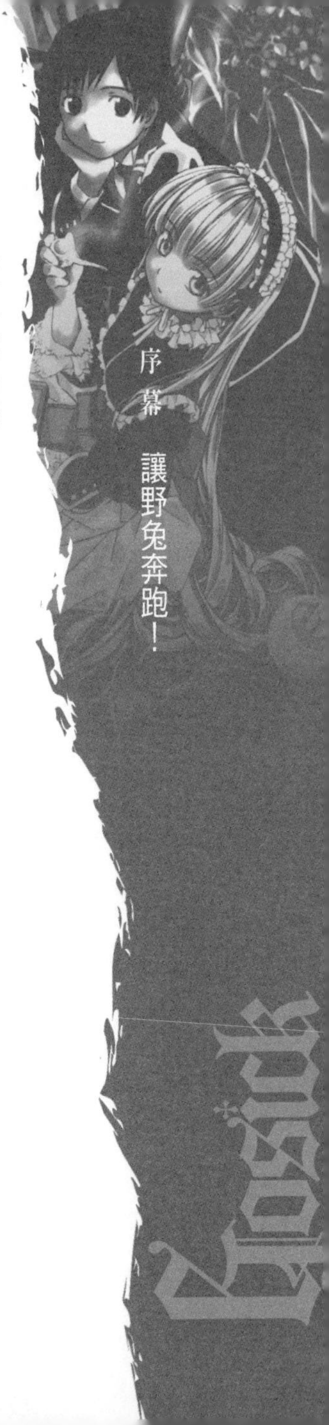

序幕　讓野兔奔跑！

又大又黑的物體——

橫過面前。

孩子心想，是條狗。隱身在昏暗夜色中，有如闇夜般漆黑的黑狗——是隻獵犬。四肢黑得發亮，兩隻眼睛在黑暗中猶如青色火焰般搖晃。

就在這跑腿嫌太晚的時間，孩子總算穿越黑暗的森林，走上村裡的道路。因為想抄近路而一腳踏入村外豪宅的庭園裡，馬上遇到那隻獵犬。

孩子不由得後退幾步。

——啪嘰。

腳底有種怪異的觸感……似乎踏到某種柔軟，有著溫暖液體的東西。低頭瞧向腳邊，發現周圍散落模糊的肉塊——鮮紅色的肉。還可以看到沾滿血跡的茶色毛皮、從肉塊中跑出來的修長柔軟的耳朵，有如玻璃珠一般的圓眼珠則映照著夜空的黑暗，陰沉空虛地望著自己。

……他看出這是隻野兔。

抬起頭來，只見獵犬緊閉的口中，滴落一絲血跡。

是被這傢伙咬死的……！

孩子的手突然沒力。緊握的葡萄酒瓶落地，碎片四處飛散。紫紅色的液體濺在獵犬頭上。

低聲咆哮……舔舔舌頭。

突然間雷聲大作。

在白色閃光的照射下，獨立於村落之外的大宅現出原本的面貌。應該沒有任何人居住的荒廢大宅陽台上，卻坐著一個陌生人。

孩子睜大眼睛。

坐在輪椅上的人從頭到腳都蓋著紅色亞麻布。那塊布微微飄動，理應是頭的位置卻變成空蕩蕩的黑洞。從布裡伸出一隻完全不像活人，有如枯枝般細瘦，極其蒼老的手。

那隻手使勁握住一面閃著金色光芒的鏡子，不停顫抖。

面前的三個壺——銀壺、銅壺與玻璃壺，則發出詭異的光芒。

一陣蒼老的聲音響起：

「一個青年即將送命……」

孩子屏住呼吸。那老婆婆的聲音……彷彿老婆婆所說的不祥之事變成現實一般，令他感到恐怖不安——聲音繼續述說：

「他的死是所有的開始。

世界將成為石頭開始轉動。」

應該沒有任何人的陽台上，響起無數男人的聲音。孩子驚訝地緊盯著不放，但在雷鳴瞬間被照亮的陽台，已再度隱藏在黑暗之中。

「我等該如何……」

「羅珊大人！」

「……準備箱子……」

老婆婆的聲音再度響起。

「準備巨大的箱子！比這個庭院更大的箱子！讓它浮在水上！然後……」

——轟隆轟隆轟隆！

雷聲再度響起。

白色閃光照亮陽台與庭院。

眼前的光景，讓孩子雙腳發軟，發出不成聲的尖叫。

陽台上有個全身鮮紅的老婆婆，以及環繞在她身邊，披著白布，伸出雙手，猶如鬼魅般徘徊的人們。

而且在庭院裡……

有許多褐色圓塊來回奔跑。超過十隻的野兔四處拼命逃竄，剛才遇到的獵犬則在追逐牠們，將牠們嚙咬撲殺。地面上到處都是散落的肉塊，形成血漥。

在下一個瞬間，雷鳴散去，黑暗再度包圍大宅與庭院。

一片靜寂。

過了一會兒，陽台再次響起老婆婆的聲音：

「然後……『讓野兔奔跑！』」

第一章　金色妖精

1

十年後——

歐洲小國蘇瓦爾王國。

位於連綿山脈山麓的名校聖瑪格麗特學園，宏偉的石砌校舍一角……

「……而且，當海上救難隊趕到時，郵輪上的晚餐菜餚還留有餘熱，暖爐燒得火紅，桌上還放著紙牌……可是，可是啊！據說沒有半個人——無論是船客或是船員，全都不見了……雖然有幾個沾了血，或是留有打鬥痕跡的房間，可是卻沒看到半個人影……」

「嗯、嗯嗯！」

有兩個學生在校舍後院的花壇旁熱烈地交談。

從呈ㄈ字型的校舍通往中庭的大門敞開，他們就坐在三階石階上的第二階。各式各樣的花朵在兩個人前方繽紛盛開，搖曳在怡人的春風中。

這兩個學生，一個是身型矮小，看來相當嚴肅的東方少年，另一個是有著一頭柔順金髮的白人少女。

少年是來自東方島國的留學生久城一彌，少女則是來自英國的留學生艾薇兒•布萊德利。

雖然同班時間不長，可是由於兩個人同為留學生的關係，已成為無話不談的好朋友。

艾薇兒相當著迷於這個話題，漂亮的臉龐有著略帶幽默的斜睨眼神。金色的俏麗短髮受到微風吹拂而搖晃。

「不過——」

「嗯嗯。」

「這是救難隊員搜查船艙時所發生的事……就在他們無意中碰到花瓶時，突然被弩槍射擊，差點就沒命了。」

「怎麼會這樣？可能是花瓶上有機關吧？還是有人躲起來，正巧在碰到花瓶時發射弩槍呢？或是……」

就在一彌一臉正經開始列舉各種假設時，艾薇兒已經鼓起一張小臉。突然「啪！」地一聲，用白皙的手掌按住一彌自顧自地說個不停的嘴巴。

「……嗚!?」

「聽我說！接下來才是重點啦。真是的，久城同學太正經了，好無聊。」

「……艾薇兒，對不起。妳繼續說吧！」

一彌雖然不能接受，但因為對方是個女孩子，也只好乖乖道歉。

「你聽好喔！救難隊聯絡海上警察，打算把船好好搜查一番，可是因為船底進水，根本沒有時間仔細搜查，那艘郵輪〈QueenBerry號〉不一會兒就濺起飛沫，發出不祥的聲響，沉入陰暗的海裡……！」

「這可真不得了啊。」

「可是呢……」

艾薇兒不理會一彌像老人般合起的雙手，以高昂的語調企圖炒熱氣氛。

「照理來說，早已在十年前沉沒的〈QueenBerry號〉，之後還是經常出現喔！」

「不可能出現吧？不是早就沉了嗎？」

「吵死了，閉嘴！一彌！」

「…對不起。」

「那艘船在暴風雨的夜裡，從霧中突然出現，上面乘坐著早已死去的人們……他們誘惑活

人，作為他們的祭品，與船一起沉入…………」

艾薇兒壓低聲音，一彌也屏息等待。

突然艾薇兒睜大她那蔚藍的眼睛——

「……海裡！哇————！」

「哇啊啊啊啊！」

「哈哈哈哈！久城同學上當啦——！還尖叫出來呢！虧你還是男孩子！還是軍人之子呢！竟然在聽鬼故事的時候尖叫!?哈哈哈哈哈！」

看著艾薇兒得意洋洋的態度，一彌只能低聲：「可、可惡……」

當他為自己不由得放聲尖叫的行為感到懊惱之際，艾薇兒站起身來，拍拍屁股上的灰塵。制服的百褶裙輕輕一晃，露出修長白皙的小腿。

天氣相當晴朗，眩目的陽光照射在校舍後院的石階上。一彌在耀眼的陽光中瞇起眼睛。

心情很好的艾薇兒說：

「好啦！該回教室了。沒想到成績優良，一本正經，而且還是軍人世家的久城同學，膽子竟然那麼小！真是意外呀意外～♪」

竟然被天真誇耀著勝利的艾薇兒看扁，一彌的頭更低了。

「我贏囉！呀～呼！」

目送著她蹦蹦跳跳地進入校舍的背影，一彌暗地在心裡發下重誓：

（哼！我一定要找到更恐怖的鬼故事，講給艾薇兒聽！把她嚇到哇哇叫！賭上帝國軍人三男的名譽，一定要報這一箭之仇！）

雖然一彌心有不甘，還是跟在艾薇兒背後走進教室。

——進入教室，一如往常，裡面的同學全都是十五歲的白人貴族子弟。

上等橡木打造的課桌椅整齊排列，每張桌子後面都坐著穿戴高級袖飾或閃亮領帶夾的少年，或是精心打理髮型和指甲的少女。白皙的肌膚搭配修長四肢，每張臉孔的表情都很冷淡。

在這群同學當中，一本正經的東方少年久城一彌看來簡直格格不入。剛才一彌一踏入教室，同學們就遠遠地圍著他，竊竊私語。

「是死神……」

「回來了……」

聽到他們以優雅的法文如此細語，更令一彌充滿反感。

時值一九二四年——

歐洲小國蘇瓦爾王國。

與瑞士相連的國界，有著平緩的山脈與舒爽的高原；與法國交界處，是一望無際的葡萄園；與義大利的國界，是面對地中海的熱鬧海港。呈細長狀的國土，一端是有著豐富自然景觀的阿爾卑斯山脈，另一端則面向以貴族避暑勝地著名的里昂灣。雖然周圍列強環繞，但是在世界大戰中倖存的蘇瓦爾王國，還是以宜人的氣候、豐富的自然，以及悠久莊嚴的歷史為榮。

如果說里昂灣是王國豪華的玄關，那麼阿爾卑斯山脈就是位在最深處的祕密閣樓。在山脈的山腳下，矗立著一所雖沒有王國這麼古老，依然以悠久歷史自豪的聖瑪格麗特學園。這是一所專為貴族子弟開設的教育機構，在王國中極為知名的名校。包圍在盎然綠意中的舒適環境，從空中俯瞰呈ㄈ字型的校舍，只有貴族出身的學生與教師能夠進出，是一所不對平民開放的祕密學校。

但是，這所聖瑪格麗特學園，在先前的大戰——捲入各國的第一次世界大戰結束之後，便開始接受同盟國的優秀學生到此留學。

來自東方島國的久城一彌，十五歲，成績優秀，是軍人世家的么子。與兩位兄長年齡差距很大，其中一人已是學者，另一人則以政壇明日之星的身分四處活躍。考慮到種種情況之後被遴選為留學生，半年前隻身前來蘇瓦爾。

可是，滿心期待的一彌，所面對的卻是貴族子弟的偏見，以及校園裡到處蔓延的怪談。

一彌正經認真又善良的個性，總是給人嚴肅的感覺，可是不知為何卻被同學和怪談牽扯在一起，讓他度過相當辛苦的半年……這些事情等有機會再提。

宣告開始上課的鐘聲響起。一彌和其他的學生一樣坐在自己的座位上，目光突然注意到窗邊的空位。

這半年間，那個位置的主人從未出現在教室裡，隨時都是空位狀態。可是班上所有同學好像商量好了一樣，從來沒人會去坐那個位子，也不會接近，更不會把東西放在這個位置上——好像在害怕什麼似的。

不過一彌現在總算知道他們在害怕什麼了。

——進入教室的導師，是位娃娃臉的嬌小女性，臉上掛著一副大大的圓眼鏡，還有一頭飄逸的棕色長髮。她總是把書和參考書抱在胸前，像小狗般微傾著頭。

這位導師——塞西爾老師，在講台前面站定，嘆了口氣。

（……咦？）

一彌發現塞西爾老師無精打采的模樣。

就在這時，後頭座位飛來揉成一團的紙條，「叩！」的一聲打在自己頭上。撿起來打開一看，上面寫著流利的英文：

「今天晚上敢一個人去上廁所嗎？　給膽小的久城同學　艾薇兒敬上」

回頭瞧見艾薇兒笑咪咪地揮手，看起來很高興的樣子……這也算是友情的表現吧？

上課結束之後，塞西爾老師正要走出教室，卻又突然停下腳步。

「久城同學，請你過來一下。」

被點名的一彌，站起身來跟著老師走到走廊上。竟然被導師刻意叫出來，他打從心底擔心，該不會是成績退步了吧？

「這個想要拜託你。」

塞西爾老師把剛才上課的講義交給一彌，然後隔著窗戶，指向教室窗邊的空位。

「一直麻煩你真是不好意思，不過這個就拜託你交給維多利加。」

「這樣啊……好的。」

就在一彌點頭時，有個輕快細長的身影與一彌並列在一起。抬起頭來，只見艾薇兒可愛的臉。剪短的金髮，在穿過窗戶的日光照射下閃閃發光。

偷瞄一眼講義——

「咦？老師，這位維多利加，就是那位總是缺席的同學嗎？」

一彌曖昧地點了點頭。

艾薇兒似乎很不可思議地偏著頭……

「這是怎麼回事？那他在哪裡呢？」

「……植物園。」

「咦～～？學園裡有植物園嗎……？」

「有啊。」

一彌不知為何滿臉陰霾，對著仍舊感到不可思議的艾薇兒說：

「在很高的地方……」

「怎麼了？這位維多利加同學和久城同學的交情很不錯嗎？」

面對艾薇兒的問題，塞西爾老師愉快地點頭，一彌則是微妙地偏著頭，這個舉動讓艾薇兒更感驚訝：

「到底有沒有交情？」

「不，其實我也不是很清楚……」

「你說清楚嘛！我問你，他是怎樣的男孩子？」

「要說是可怕嗎……或者該說是冷淡呢……或者說是很過分……」

艾薇兒雖然還是搞不清楚，不過還是說了聲「算了。」就邊走邊跳地回到教室。

「……呃，塞西爾老師。」

一彌喚住打算離開的老師。

「嗯？什麼事？」

「您的精神好像不太好？沒什麼，我只是覺得有點……」

聽到一彌這麼說，塞西爾老師圓滾滾的眼睛睜得更大：

「……你眼睛真尖。其實……沒有，不是學校的事情。是我住的村子裡，發生了奇怪的事件。一大早警察就來問訊，還有一些雜事……」

「事件？」

塞西爾老師的聲音低沉下來。

或許是因為鄰近發生事件的關係，讓她的眼神蒙上不安：

「那是個……很怪的事件。雖然我也只知道來自警察的消息，還有一點附近的傳聞。」

「是怎樣的事件呢？」

「有位住在村外的老婆婆被殺了。而且還是以相當怪異的方式……」

「老婆婆……？」

「雖然現在已經退休，可是以前是一位很有名的占卜師。我記得她的名字是羅珊……政治家和企業高層都會上門求教。聽說她擅長預測未來喔。」

「老師，占卜這種東西……」

「是迷信吧！」一彌正打算這麼說，但是看到塞西爾老師疲憊的模樣便閉嘴了。老師繼續說下去：

「好像還沒有抓到犯人呢。所以大家都人心惶惶的。總之是很怪異的殺人方式。究竟是怎麼一回事呢……」

塞西爾老師向一彌大致敘述一下從警察那裡聽到的消息，以及附近流傳的傳言。歸納起來，似乎是占卜師在密室被槍殺，但卻遍尋不到兇器，也不知道犯人是誰……

「雖然可怕，不過只要再忍耐一會兒就好了。因為那位最近很出名的古雷溫・德・布洛瓦警官，正帶著兩個部下在村裡到處大肆搜查呢。」

「真是神奇……」

對著喃喃自語的一彌，塞西爾老師這才驚覺過來。

然後以陰沉的表情喃喃地說：

「被殺的老婆婆，也是個讓人搞不清楚的人。她的宅邸裡有一大堆被狗咬死的野兔。真可憐……很嚇人吧……」

看來塞西爾老師是被事件背後所隱藏的陰暗而怪異的氣氛給嚇到了。當老師發現到一彌擔心的模樣時，趕緊恢復臉上的笑容，手指著剛才交給一彌的講義：

「那麼，久城同學。這個就拜託你了。雖然……高了一點…………嗯，努力往上爬吧！」

「是是是……我早就習慣了。」

一彌苦笑著點頭。

2

——聖瑪格麗特大圖書館。

佇立在學園角落的建築物，有著兩百年以上的歷史，是歐洲屈指可數的書庫之一。岩石砌成的外觀莊嚴無比，即使變成觀光勝地也不奇怪。但是因為聖瑪格麗特學園一向禁止相關人員之外的閒雜人等進出，因此從未出現在世人眼前。

一彌走在發出乾土沙沙聲響的路上，來到大圖書館，進入其中。

角柱型的大圖書館，整面牆壁都是巨大的書架。中央是挑高大廳，高聳的天花板上閃耀著莊嚴的宗教壁畫。書架與書架之間就像巨大的迷宮一般，以細窄的木製樓梯連結。

一彌向上仰望，不由自主嘆了口氣。

可以看到天花板的邊緣，垂著有如金色絲帶的東西。

「維多利加……又跑到最上面去了。」

沒辦法，只好開始攀爬迷宮般的樓梯。

不自覺地冒出抱怨聲：

「偶爾待在比較低一點的地方也好嘛。那傢伙每天都要爬上這樓梯嗎？真是累人……」

爬得越高，距離地板越遠。

往下看的景色令人頭昏眼花，一彌只得盯著正前方，以帝國軍人三男的毅力，緊繃背部的肌肉，繼續俐落地往上爬。

途中雖然差點喘不過氣來，還是繼續努力。

「可是……這個圖書館，怎麼會蓋成這個樣子呢？」

——有種說法是：這個大圖書館據說是在十六世紀初期，由創辦聖瑪格麗特學園的國王所建造。相當懼內的國王，為了與情婦幽會，而在大圖書館最上方蓋了間祕密房間。然後把樓梯修築成迷宮狀……

進入本世紀，在進行部分整修工程時，也引進了油壓式電梯。但是只供教職員使用，因此一彌無緣使用。

所以只能往上爬。

沿著迷宮般的樓梯，往上爬、往上爬。

……還得繼續往上爬。

終於來到最高層的一彌，卯足勁大聲喊叫：

「維多利加！妳在嗎？」
沒有回應。不過一彌還是不死心：
「妳在吧！我看到妳的頭髮囉！喂——」
他朝著從挑高空間垂下，有如絲帶的金色頭髮大喊。
白色的煙霧，緩緩往天花板上升。
一彌踏出一步。
那裡是……

植物園。
大圖書館最高處的祕密房間，不再是國王與情婦的寢室，而被改建成綠意盎然的溫室。南國的樹木與蕨類繁盛茂密，在天窗流洩而下的柔和日光照射下發出明亮的光芒。
閃亮卻沒有人煙的植物園。
在溫室通往樓梯的平台上，有一個上半身向前傾的巨大陶瓷娃娃。
近乎等身大，身高大約有一百四十公分。身上穿著滿是絲絹與蕾絲的豪華衣物，長長的金髮像是解開的頭巾般垂到地板上。
冷若冰霜的側面，有如陶瓷般冰冷。

不是大人也不是小孩，清澈的眼珠，閃耀透明的淡翠綠色。

陶瓷娃娃的口中含著菸斗，呼～呼～地吸著。裊裊白煙朝天窗上升。

一彌毫不猶豫地走向陶瓷娃娃……不，是令人誤認成陶瓷娃娃的美少女。

「維多利加，至少回個話吧。」

少女綠色的眼瞳，正忙碌地在書本間巡梭。以她的頭部為中心點呈放射狀並列的書本，從古代史到最新的科學、機械學、詛咒到鍊金術……從英語到法語、拉丁語和漢語，以各種不同的語言寫成。

自然地瀏覽著它們的少女——維多利加總算回過神來，抬起頭：

「什麼啊？原來是你。」

老人般沙啞的低沉音調——和嬌小的身體與妖精般的美貌完全不搭調。

那種事不關己，貴族特有的高傲態度，讓一彌很不高興……算了，每次都是這樣。每次來到這裡，都會因為維多利加而感到心煩。

沉默不語，維多利加的視線又回到書本上。

翻過一頁又一頁，不斷讀下去，一邊開口說話：

「死神，找我有事？」

「我不是說過，不要這樣叫我嗎？」

一彌低下頭，靠在樓梯的扶手上。

「死神」是一彌一點也不喜歡的綽號。這個學校裡的學生原本就對怪談有著特別的喜好。再加上學校的歷史悠久，多少有點奇怪的傳說：據說「春天來到的旅人將為學校帶來死亡」、據說「樓梯的第十三階住著惡魔」、據說……

黑髮加上漆黑眼珠，來自東洋的沉默旅人久城一彌，大家根本就當他是「春天到達的死神」，使得這些喜歡怪談的學生都不太敢接近一彌。他們究竟相不相信還是個疑問，但就像是大家都在為這個校園遊戲推波助瀾似的，對怪談的參與程度相當熱烈。

也因為如此，一彌很少有親近的朋友，而且又中了塞西爾老師的計謀，當他察覺到時，自己已經變成校園第一怪人──維多利加的聯絡人，有如她的跟班一樣。

我又不是自己想要和這個高傲美少女打交道的……話雖如此，但是回過神來，又發現自己為了和她見面爬上迷宮般的樓梯。維多利加不理會煩悶的一彌，繼續以粗啞的聲音說：

「久城，你真的交不到朋友是吧？怎麼又跑到我這裡來？真是個學不乖的傢伙。還是你特別喜歡爬樓梯？」

「……怎麼可能？拿去，這是妳的。」

一彌遞出老師拜託的講義，維多利加以鼻尖示意「放在那邊」，朝地板點了點頭。

然後像是唱歌似的──

「天氣好就在花壇幽會是吧？」

「才不是幽會呢，只是聊天而已。她告訴我無人豪華郵輪〈QueenBerry號〉的怪談，然後……等等，維多利加。」

原本已經打算離開溫室的一彌又小跑步回來，對著把臉埋進書堆裡的維多利加問道：

「妳怎麼知道？難不成妳在偷看我們？」

「沒有。」

「那怎麼會知道？」

「告訴你，就是平常的那個而已呀！」

「是腦中湧出的『智慧之泉』告訴我的。」

完全不顧一彌焦躁等著下一句話，維多利加抽口菸斗，繼續像唱歌一樣悠閒開口：

維多利加看著書，不耐地說：

「久城，你真是個墨守成規，過度認真的好學生呢！」

「……真抱歉啊。」

「這樣的人呢，走出屋外就會乖乖戴上帽子。你的頭髮上清楚留著帽子的痕跡，還有領口上粉紅色的花瓣看來是花壇的三色堇花瓣。所以我猜你去過花壇。」

「可是，妳說幽會……我可能自己一個人去啊……？」

「久城，你今天的心情很浮躁，是以輕快的腳步聲爬上樓梯的。」

「咦……？」

是這樣嗎？一彌偏著頭。

明明是以正常的方式爬上來的呀……規規矩矩，抬頭挺胸……

維多利加像是不吐不快似的冷淡的說：

「還有你對我的反駁，也帶有平常所沒有的精神不是嗎？你，公的人類會無緣無故出現這種浮躁舉止的原因就只有一個——那就是慾望。久城是處於因慾望感到興奮，非常愉悅的狀態。一個人去花壇有什麼慾望可言？也就是說你是和女性在一起。而且一定是你不討厭的女性——『智慧之泉』就是這麼告訴我的。」

「維多利加……麻煩妳注意一下遣詞用字吧？什麼慾望……還說我無緣無故，這……」

一彌漲紅了臉，抱著膝蓋坐在一旁。

雖然維多利加總是能在沒有親眼目睹的狀況下，把一彌當天的行動猜個正著，但是今天早上的事情讓一彌特別感到丟臉。

他抱著膝蓋悻悻然地看著維多利加的側臉——

「猜得真準……我真佩服妳……」

維多利加沒有馬上回應，仍然繼續看她的書，當一彌的話到達她的腦部之後，才「嗯。」

點頭回應。

「那是我為了打發無聊時間，才用腦中的『智慧之泉』把從混沌世界中接收到的碎片拿來遊玩一番，也就是重新架構。心情好的話，就把結果化成你們這些凡人也能夠理解的語言。不過，大部分都因為太麻煩，所以閉嘴不提。」

「……妳對我怎麼不保持沉默？」

「這恐怕會被推測為，看到你就忍不住想要捉弄你吧。」

到此為止，維多利加不再說話，把頭埋進書堆裡。

一彌聳聳肩，盯著維多利加的側臉。

平常的一彌絕對不能容忍自己這種能夠成為代表一國的好學生，被稱為「你們這些凡人」。但是被這位從來沒有去上過課，不可思議的貴族之女維多利加這麼一說，他也只能默默接受。

其實一彌也不清楚，究竟維多利加的家世如何，是個什麼樣的女孩。

極為美貌、極為嬌小、極為聰明，而且無依無靠的這位少女。不知為何有個男性的名字。有點瘋狂，但說不定是個天才少女。

有的傳聞說她是貴族的庶子，也有人說她受到族人疏遠，不願意和她住在一起，所以才把她送來學校，還有人說她的生母是個發瘋的知名舞者，甚至有說她是傳說中的灰狼轉生，還有人看到她吃生肉……不愧是怪談學校，傳聞越傳越奇怪。

一彌從來沒有問過維多利加這件事。身為帝國軍人之子，不可以抱著低劣的好奇心看人，而且維多利加本人就夠奇特了，根本不知道該問什麼才好。

就在搞不清楚怎麼一回事的狀況下，辛苦爬上植物園，被維多利加的毒舌給惹毛，已經變成一彌現在——該怎麼說呢……每天的例行公事。

「對了，維多利加。妳每天都讀那麼多書……」

一彌不氣餒地提出話題。

維多利加也不回應，只是淡淡點頭。

「難道妳打算把大圖書館裡的書全部看完嗎？」

雖然是開玩笑，但是維多利加抬起頭來，很自然地順著樓梯扶手向下指：

「這一面已經快看完了……咦？久城，你怎麼一副眼珠子快要掉出來的表情？怎麼了？」

「沒什麼……只是嚇了一跳而已。現在妳在看什麼？」

「告訴你，就是什麼都看囉。」

維多利加打個呵欠，像貓一樣弓起身：

「哎！真無聊。告訴你，需要重新拼湊的混沌不夠。再怎麼看都不夠。」

「……我想一般人光是看這麼一本書，腦袋就快要爆炸了吧？」

一彌手指攤開在前方的拉丁文書籍說道。呵欠連連的維多利加表情突然一亮：

「對了，久城，我來說明好了。」

「說明什麼？」

「告訴你這本書的內容啊！這個嘛……是一本關於古代占卜的書。」

「占卜？我沒興趣。」

「不要緊。」

「可是……為什麼要向我說明呢？」

「因為很無聊嘛！」

維多利加理所當然地點頭。

抓住一旁怕麻煩正想溜走的一彌，強迫他繼續聽：

「按照這本書的說法呢，所謂的占卜，自古以來就是和人類的慾望同時存在的東西。例如在古羅馬帝國，人們就會利用灼燒動物內臟或肩胛骨所產生的裂痕來占卜吉兆。這樣的行為一直持續到十一世紀，才被基督教宗教會議所禁止。還有從古以來一直都有翻開書本，按照那一頁的內容來占卜的書籍占卜。古代人會以荷馬的書來占卜，基督教徒則是使用聖經。但這樣的占卜行為也被宗教會議禁止……喂！久城，別睡著了！我快無聊死了。」

「……啊，對不起。」

「也就是說，占卜是種異端。但是即使政府禁止、教會禁止，人們還是樂此不疲。其中還有持續好幾個世紀，在教會內由聖職者偷偷進行的例子。你知道這是為什麼嗎？」

「嗯……」

維多利加把菸斗從口中拿出來，吐出一口煙憂鬱地說：

「告訴你，因為很準啊。」

「……真的嗎？」

「古羅馬帝國皇帝瓦林斯對自己的地位感到不安。因此他找來占卜師，想要找出對自己有威脅的人的名字。他的占卜方式是在平坦的土地上放置寫有字母的飼料，再把雞放進去。結果，雞吃了放在『T』、『H』、『E』、『O』、『D』位置的飼料。皇帝認為是指Theodorus這個名字，於是把帝國裡所有名為Theodorus的人都處死。但是，在這個皇帝之後統治繼位的人名字是Theodosius，也就是說根本搞錯人了。」

「……真是勞師動眾的故事啊。」

「認真聽我說。我都無聊得快睡著了。」

「對不起。」

「從各種書籍中的查證，可信度最高的是名為『魔法之鏡』的道具。曾出現在達文西的畫

『使用魔法之鏡的魔女』中的鏡子，是水晶占卜的前身。準備裝滿葡萄酒的銀壺，裝油的銅壺及裝水的玻璃壺，以三天三夜的時間進行占卜。銅壺可以看到過去，玻璃壺可以看到現在，而銀壺可以看到未來，然後映照在魔鏡裡。」

維多利加翻開書中一頁，上面有張圖，是一個從頭到腳披著紅布的女人，前面放著三個壺，手上拿著金色鏡子。身穿白色服裝的男人們恭敬地貼地跪著。

維多利加一邊翻書，一邊不斷說明。

一彌害怕她生氣，只得乖乖聽著。

回想起來，在自己生長的國家，婦女必須乖乖跟在身後三步，還真的沒受過該怎麼和這種搶先走在自己三步之前，還不斷回頭怒斥「還不快點！」的女孩子和平相處的訓練。

一彌心想，凡事都是訓練。只是訓練總是很辛苦的……好睏。

「還有在聖經民數記裡，也有先知摩西進行木棒占卜的記述，相當有趣。為了知道以色列人民的領導者是哪個種族，還準備了十二支寫有族名的木棒來占卜。」

「……嗯，這倒是很令我意外。」

「意外什麼？」

「沒想到維多利加竟然會相信占卜。」

「怎麼可能相信。」

「咦？」

維多利加從放射狀散開的書堆當中，抽出一本別的書。然後在一彌面前打開那本書，但是那是以艱難德文所寫成的書籍，讓一彌不由得想轉身逃跑。可是維多利加伸出小手抓住他，只得放棄逃跑的念頭。

「……那本書又是什麼？」

「告訴你，是心理學。我這就要對你這個思想呆板，虎頭蛇尾的好學生說明『人為什麼相信占卜？』啊！」

「喔……」

「占卜會準確，並非客觀的事實。而是在主觀的事實上準確。也就是說，實際上是『自認為準確』，這就是占卜為什麼能夠從紀元前一直延綿不斷持續到今天的本質。告訴你，這是因為『希望占卜能夠準確』的群眾心理支持的緣故……也就是說，就和在校園裡蔓延的怪談為什麼變成流行是一樣的。所有的人都成為無意識的集合體，是同時發生的共犯。」

「嗯……」

「因此，我舉出三個之所以會發生這種狀況的原因。第一，只有準確的預言才會在歷史上留下來。在一個準確的例子背後，沉睡著無數落空的占卜。第二，窺探對方的臉色，按照對方的希望說出準確的結果，是占卜師的技巧。還有第三個原因就是，不論如何都會中的答案。」

「嗯……」

「例如說，久城你在來這個國家留學之前，占卜留學後的生活。如果出現的是吉，在你留學後遇到成績好的時候，就會覺得『好準！』。如果出現的是凶，當你遇到痛苦的事情時，就會心想『好準！』。」

「嗯……」

「像我剛才提到的瓦林斯皇帝也是如此。雖所挑出來的五個字母中，有無數種的排列組合。但是皇帝內心早已經對名為Theodorus的青年有所猜忌。所以占卜的結果也和這個名字連在一起。也就是說，所謂的占卜，事實上不過是一種迷信，讓內心早已決定要採取行動的人們，得到旁人『在背後推波助瀾』而讓自己有所支撐。也就是說，這是一種迴避責任……啊！」

「怎、怎怎怎、怎麼了？」

原來滔滔不絕的維多利加，突然抱著小小的金色腦袋呻吟起來，一彌立刻跳起來，擔心她會不會是瘋了。只見維多利加恨恨地瞪著一彌：

「向你這種普通人說明，反而覺得更加無聊。」

「……真、真抱歉。」

「嗚～～胸口悶得難受。無聊得好痛苦……喂！告訴你，你要怎麼負責啊？」

「這個……」

受到遷怒的一彌，突然想起一件事：

「對了，維多利加。說到占卜呢……」

他想起塞西爾老師提到的事件。

記得是在附近村子裡，有個老婆婆被怪異的方式殺害……在密室裡被槍殺，也沒有找到兇器。被害人名為羅珊，記得職業就是……

「昨天在附近的村子裡，有個占卜師被殺囉。」

當他說到這裡，維多利加纖細的肩膀突然動了一下。

抬起頭來，這是她今天早上第一次正眼看著一彌。

絲線般纖細閃亮的金髮，畫出微微的幅度散落在地板上。

白皙得看得到血管的肌膚。

還有翡翠綠的雙眼，以活得太久的老人般哀傷，不知望著何處的眼神投向一彌。

一彌被維多利加的眼神震懾，不由自主後退幾步。

然後，維多利加靜靜開口：

「……混沌嗎？」

喃喃說出這句話，突然朝一彌的臉呼出一口煙。

「咳、咳咳……我也不知道細節啊……」

一彌因為被煙嗆到，在維多利加的身邊彎下腰，邊擦拭著眼眶浮出的眼淚邊開口說：

「剛才我和塞西爾老師說話時聽到一些。塞西爾老師也是從警察和流言得知的……總之，那位老婆婆在世界大戰開打時，買下那間小巧舒適的宅邸，在那裡定居下來……」

占卜師羅珊。

有人說是八十歲，也有人說是九十歲的滿臉皺紋老婆婆，和印度僕人以及阿拉伯女傭三人一起住在屋子裡。事件似乎是發生在孫女來訪的昨晚。

「……等一下。我問你，為什麼僕人是印度人，女傭是阿拉伯人？」

「據說她喜歡有異國風情的僕人。她是位知識淵博的婆婆，無論是印地語或阿拉伯語的日常會話都沒有問題，所以並沒有溝通上的困難。啊！雖然女傭只懂得阿拉伯語，不過僕人的英語和法語倒是相當流利。」

羅珊婆婆在那天夜裡於自己的房間內被射殺，子彈從左眼射進，當場死亡。

犯人不明。應該是那天夜裡在屋裡的僕人、女傭或孫女之一，但搜查之後卻毫無頭緒。

「為什麼呢？」

「呃——我記得……門窗都從內側鎖住，也沒有找到兇器。而且三個人都宣稱不是自己做的。」

「唔……」

維多利加好像對著前方點頭般抬頭看著一彌。被她如此注視的一彌頓時感到坐立難安。剛才和塞西爾老師站在走廊聊天時所獲得的情報就只有這些。況且塞西爾老師也不可能知道更多。即使要求我多說一點，我也很傷腦筋。

當一彌心中這麼想時，大圖書館的入口處傳來有人進入的腳步聲。一彌越過扶手向下看，發現來者就是被塞西爾老師讚為名警官的古雷溫・德・布洛瓦。

（又來了……）

一彌露出受不了的表情，拍拍維多利加的肩膀說：

「接下來的詳情，妳問那個髮型怪異的人吧。」

「……咦？」

維多利加的表情有些不悅。

聽到似乎是德・布洛瓦警官坐上教職員專用油壓式電梯的聲響。

喀啦、喀啦啦！

鐵柵欄的電梯發出噪音往上升。

接著便看到警官的部下──戴著兔皮獵帽的年輕男子兩人組。兩個人相親相愛地手牽手，一邊跳著一邊走進大圖書館。他們似乎打算在下方等待，望著這邊，大力揮舞另一隻手。

因為當地警察局勉強錄用對犯罪有著特殊愛好的貴族青年，古雷溫・德・布洛瓦擔任警官，因此這兩人常被以興趣為出發點進行搜查的德・布洛瓦耍得團團轉，苦不堪言。

一彌的視線離開兩個部下，隨著「咚喀——！」一聲巨響，電梯到達頂層。在植物園前方的小廳，出現德・布洛瓦的身影。

茂密綠意與自天窗射入的柔和光線的另一頭，站著一位怪異的男子。

三件式西裝配上花俏的領巾，手腕上的高級銀色袖飾閃閃發亮。怎麼看都是個帶有貴族威嚴的男子，但又好像有哪裡不太對勁。

——是髮型。深色的金髮不知為何前端梳成尖銳的流線型，然後再加以固定。如果巧妙運用，應該可以當成凶器。

他雙手抱胸，把體重倚在門旁斜站，擺出個瀟灑的姿態，然後開口：

「喲！久城同學！」

「……你好。」

德・布洛瓦警官心情相當愉快地走近，對一彌親切攀談，但對維多利加則是不屑一顧。維多利加也看著別的地方，抽著菸斗。

「你曾經被我這個優秀腦袋救過一命對吧？哎呀！那可是不得了的大事！還記得嗎……」

「解決那件事的人是維多利加……」

「所以我想來問問看你的意見囉。不知道為什麼，聽過你的意見之後，我的腦袋就變得好清楚呢！我這個名警官的腦袋喔。」

一彌過去曾經在上學途中遇到殺人事件，而被懷疑是嫌犯，還差點讓德‧布洛瓦警官逮捕。正在煩惱不知會被遣送回國，或是判處殺人罪時，拯救一彌的人就是在這座植物園裡相識的不可思議美少女維多利加。

維多利加當然不是因為擔心一彌才救他。她只是利用所謂的「智慧之泉」，將這個事件的混沌碎片經過重新拼湊、判斷之後，把真相說出來而已。而且在推理結束之後，維多利加也沒有用來證明一彌的清白。一彌是靠著自己的力量，將維多利加的推理向警官說明，才洗清自己的嫌疑。

……只要回想那時的狀況，直到現在還會冒出冷汗。

只不過在那之後，食髓知味的德‧布洛瓦警官每次遇到頭痛的事件，就會跑來這座植物園，把事件的詳細內容一五一十說給一彌聽。等到旁邊的維多利加「將混沌的碎片重新拼湊」之後，警官再回到地面，將事件解決。

也就是說，他根本不是名警官。簡單來說，只是來找活解答幫忙而已……

「警官，請你直接問維多利加吧！就算問我，我也搞不清楚狀況。」

「你說什麼傻話？這裡只有你和我兩個人而已啊？」

「……」

一彌放棄地看著兩個人的臉。

維多利加和德・布洛瓦警官在事件之前就認識了。但是，他們根本完全不肯看對方一眼，而警官則是對於必須借助維多利加的力量一事感到氣憤。一彌心想，那就別借用她的力量不就好了嗎？但這好像又是另一回事。

維多利加終於抬起頭，對一彌說話：

「久城，沒有關係。我在這裡看書，你們說你們的吧。我偶爾會自言自語，不過不用理我。即使這正巧是線索，也和我沒有任何關係。」

「可是，這樣……」

「好啦，我要說啦！喂！看我這邊！」

德・布洛瓦警官用力捲起袖子。

一彌只得乖乖聽他說話。

德・布洛瓦警官從懷中取出菸斗，以完美的流暢動作含進嘴裡。從警官嘴裡和菸斗同時冒出白煙，然後消失在流線型的頭髮裡。一旁的一彌看得目瞪口呆。

維多利加還是看著別處，同樣叼著菸斗吞雲吐霧。

警官把嘴裡的煙吐完之後，終於開始說話：

「這個名叫羅珊的占卜師是在昨晚被殺害的。宅邸裡的人用過晚餐後，各自做各自的事。占卜師待在自己位於一樓的房間裡，僕人在她的窗旁。按照本人的說法，他當時正將放養在庭院裡的野兔趕回飼育小屋。」

「……野兔？」

維多利加反問，把德・布洛瓦警官嚇了一跳。

他朝著一彌點頭說：

「這位占卜師養了許多野兔與一隻獵犬。據說她常將野兔放走好讓獵犬獵殺。不知道為什麼，她似乎把供獵殺的野兔和精心照顧的野兔分開飼養，完全不知道以什麼方式區分。據說是個相當怪異的老婆婆。」

「原來如此。」

這也是維多利加的聲音——兩個人明明在對話，卻完全不看對方的臉，一彌只好被夾在中間……每次都這樣。

「女傭在隔壁的房間打掃。孫女在正上方的房間，以震耳的音量播放唱片跳舞。就在這時槍聲響起，大家都嚇了一跳，紛紛聚集在走廊上。擔心占卜師狀況的女傭敲門並大聲呼喚，但是沒有回應。房門是上鎖的，僕人慌了手腳，提出以斧頭破門而入的建議。為了讓坐輪椅的老婆婆容易開關門，因此門是片輕薄的木材，只要用斧頭劈上一斧應該就可以輕鬆破壞。可是孫女卻以尖銳的聲音強硬反對。理由是萬一祖母死了之後，這房子就歸自己所有，所以千萬不可以破壞——真是會遭天打雷劈的理由。雖然僕人放棄了，但女傭是個外國人，根本聽不懂孫女講的話，就到隔壁的房間拿了護身用的手槍，在大家還來不及阻止的狀況下，把門鎖打壞。孫女氣壞了，撲向女傭，兩個女人就這麼打了起來。這時候印度僕人進入房間。接下來，按照僕人的說法……占卜師倒在地上，看似從平常坐著的輪椅上跌落下來，左眼被射穿，當場死亡。窗戶也從內部鎖住，而且找不到凶器。」

「唔……」

「完全摸不著頭緒……」

就在警官喃喃自語的同時，維多利加突然出聲：

「什麼嘛！原來是這樣。」

然後以窮極無聊似的態度大大打了個呵欠，像是隻慵懶的貓一樣，伸展兩隻纖細的手臂。

接著又打了個呵欠。

德・布洛瓦警官以令人驚訝的憎恨眼光，瞪著維多利加的側臉。然後突然別開視線：

「我知道犯人是誰。案發當時在窗邊的僕人非常可疑，但是證據……」

「古雷溫，犯人是女傭。」

維多利加呵欠打到一半，嘴裡發出含糊不清的聲音。警官突然停住動作，驚訝地看著維多利加。然後又急忙別開視線，朝向一彌：

「久城同學，怎麼了？這是怎麼一回事？」

「我不知道啦！你一直搖我的頭也沒用啊！」

維多利加以冷冷的聲音說道：

「女傭只會說阿拉伯語。只有占卜師聽得懂她說什麼。」

「咦？」

一彌與德・布洛瓦警官維持拉扯的姿勢盯著維多利加。

「維多利加，然後呢？」

「很簡單。根本不到混沌的程度嘛。聽好囉？女傭敲門，以阿拉伯語叫喚。因為沒有回應，所以到隔壁的房間拿手槍回到走廊，打壞門鎖。」

「嗯嗯。」

「當時知道女傭說什麼的人，只有占卜師本人。」

在冷靜的說話聲中，一彌再度面向維多利加：

「她說了什麼？」

「我不知道她把孫女或僕人哪一個當成壞人。不過她應該是這麼說的：『有人想要主人的

命。您聽到剛才的槍聲吧？請快點離開窗邊，靠近門口。我現在就來救您。』」

一彌和警官面面相覷。

「什麼？這是怎麼一回事？唔…………………」

警官抱著頭開始煩惱，一彌接著說：

「那個……所以那時候，占卜師還……活著？」

「當然。」

維多利加毫不猶豫地點頭。

然後直接埋在書堆裡面，又突然想到什麼似的抬起頭來。

一彌和警官都偏著頭盯著她。陽光從天窗射入，落在兩人的頭上。和緩的微風吹拂，溫室中綠意盎然的枝條與德・布洛瓦的頭髮，都在風中輕盈搖擺。

一陣靜寂之後，維多利加再度「哈……」打了個大呵欠。

她似乎總算了解沒人能夠理解，以嫌麻煩的態度說明：

「……看來是語言化的作業不足吧？」

「完全不夠啊！維多利加，拜託妳講清楚一點吧。」

「也就是說，殺害占卜師的並不是第一聲槍響。那是騙人的。告訴你，在那些以為發生事情，奔跑而來的目擊者眼前，女傭明目張膽射殺占卜師。為了要讓她站在門前，先是以阿拉伯語欺騙占卜師，然後對著門鎖射擊占卜師。之所以會射穿左眼，應該是因為占卜師從鑰匙孔向外窺視吧？告訴你，在鑰匙孔另一邊，就只有槍口而已。」

「等一下！久城同學……那第一聲槍響呢？」

「警官先生，推理的不是我，是維多利加啊！」

「第一聲槍響嘛……」

維多利加又打了個呵欠：

「……是在隔壁房間射擊的。為了讓占卜師害怕，並且把屋裡的人聚集起來。往哪個方向射擊就不知道了。不過只要調查隔壁的房間就行了。一定可以找到新的彈痕。」

「……原來如此。」

德．布洛瓦警官站起身來。

好像什麼事情都沒發生過一樣，拉拉三件式西裝的衣擺整理一下，再用手抹抹流線型的頭髮，轉向電梯就好像逃命一樣準備走人。

對著他的背影，一彌義憤填膺地出聲：

「警官！」

「……怎麼啦？」

「你總該向維多利加道謝吧？可是她幫助你調查呢……」

「到底什麼事啦?」

回過頭來的警官,露出倨傲的神情。聳聳肩膀,把下巴抬得高高地睥睨著一彌。慢慢把菸斗從嘴裡拿開,「噗!」一聲把煙吐在一彌臉上。

「咳、咳、咳……」

警官一邊走開,一邊快速地說:

「久城,我只是擔心我救過的東方少年過得好不好,所以才來瞧瞧罷了。你別亂說話……」

「……古雷溫。」

維多利加抬起臉,靜靜出聲。

已經進入電梯柵欄裡的德.布洛瓦警官回過頭來,露出一臉不安的模樣。他驚恐地看著嬌小的維多利加,好像面對什麼強大的東西似的嚇了一跳。

瞬間,大人和小孩的立場好像發出喀嚓聲響般對調……好一個不可思議的光景。

一彌沉默地觀察兩人。

「犯人的動機之謎,一定就藏在第一發子彈射向何處吧?」

「……這怎麼說!?」

「這麼簡單的事情你就自己想吧,古雷溫。」

喀噠——!

電梯開始移動。

德．布洛瓦警官瀟灑的臉孔，充滿懊悔地扭曲。鐵柵欄向下，警官的身影從面前消失。

「呼～～～！」

維多利加打了個大大的呵欠，像貓一樣躺在地板上，然後滾來滾去，開始耍賴。

「馬上就解決了。又要繼續無聊了。啊啊、啊啊……」

「維多利加——」

一彌感到很不高興。

維多利加完全沒注意到一彌的心情，繼續在打開的書上滾來滾去。

「那個髮型奇怪的警官，一定又打算要獨占功勞……明明每次都跑來找妳幫忙。」

「……你很在意？」

維多利加出乎意料地回問。

一彌用力點頭：

「我不喜歡這種不合理的事。而且明明是他有求於人，態度還那麼惡劣。」

維多利加好像完全不感興趣，繼續在地上滾著。一彌突然說：

「對了……妳和警官認識對吧？雖然看起來……交情不太好的樣子……」

維多利加沒有回答。

一彌放棄，聳聳肩膀。

這時，維多利加反倒突然跳起來：

「久城，你跳個舞來看看。」

「……什麼？」

「別發呆了，快站起來。跳舞吧！」

「為什麼？」

維多利加像是理所當然似的點點頭，然後說：

「太無聊了。」

「才不要呢。我要走了！啊！下午的課要開始了，那個……」

「久城——」

被維多利加綠色雙眼緊盯著不放，一彌就像是被蛇盯住的青蛙一樣連動也不敢動。一團煙吹到臉上，一彌又咳起來。

「咳……！我說……維多利加……」

「久城，快點……」

維多利加以高傲的眼神，吐出短短的兩個字：

「跳舞！」

「……是。」

一彌只好拉扯記憶的絲線，開始跳起故鄉夏季祭典的舞蹈。身為軍人世家的兒子，從來不曾熱衷於跳舞、唱歌等輕浮之事。

「……哼。這是什麼舞？」

「這叫盆舞。妳要不要跳跳看？」

「怎麼可能跳……啊啊……好無聊喔。」

「妳真的……很過分耶。」

「睡覺算了……」

維多利加的嘆息響徹整個植物園。

3

然後，第二天早上──

一彌一如往常，在早上七點半於聖瑪格麗特學園男子宿舍起床。一邊斜眼看著睡眼惺忪在洗臉台和走廊晃來晃去的少年們，一邊洗臉，整理頭髮，然後前往餐廳坐在自己的位置上。

風韻猶存的紅髮舍監，已經將早餐放在桌上。一彌正打算把早餐的麵包、牛奶、水果放進嘴裡時，突然……

「………………啊啊!?」

翹腳坐在角落椅子上抽煙看報的舍監，驚訝地抬起頭問道：

「怎麼了？有什麼不對勁嗎？」

「不，早餐很好吃——不是這個，是那個標題……!?」

一彌接過舍監遞來的早報，貪婪地閱讀。

只見標題的煽動文句……

「德・布洛瓦警官再展精湛手腕！

輕鬆解決占卜師羅珊槍擊命案！」

按照慣例，德・布洛瓦警官又將維多利加的推理占為己有。報導中寫著：阿拉伯女傭遭逮捕——那位女傭是個大美女，或許正因為這樣才讓警官下定決心好好偵查，然後……

「什麼!?」

即將繼承占卜師遺產的孫女——就是和女傭互毆的可怕人物——滿心感謝向德・布洛瓦警官獻上熱吻——這還不打緊——還將豪華遊艇送給警官。

報紙上還寫著，警官開懷大笑，打算在這個週末來一趟遊艇之旅……

「遊艇!?」

一彌把早報還給舍監，再度坐回椅子上。

努力思考兩、三秒。

（那感謝之吻和豪華遊艇，照理來說應該要送給維多利加……絕不允許這種事發生……可惡！那個該死的鑽子頭警官！）

——一彌站起身來。

「維多利加————！」

一彌一大早就奔往聖瑪格麗特大圖書館，衝上羊腸小徑般的迷宮樓梯，可是等待著他的，卻是空無一人的植物園。看看時鐘，還不到早上八點。維多利加可能還沒到植物園吧……

一彌又花數分鐘的時間，走下迷宮樓梯。在往下走的途中，似乎有教職員坐上電梯，可以看到油壓式的電梯發出嘎搭嘎搭的聲音往上升。

當他從大圖書館中奔出時，正好和上學途中的學生撞個滿懷。

「呀！」

「對、對不起……啊，艾薇兒，原來是妳。」

英國少女就站在眼前，金色的短髮加上修長的手腳相當醒目。手中的照片散落一地，一彌連忙彎下腰來幫忙撿拾。

是年輕男子的照片。

帥氣的長相十分搶眼，望著前方的內斂笑容，展現出萬人迷的颯爽魅力。一彌壓抑住自己激動的情緒發問：

「艾薇兒，早啊！這是誰啊？男朋友……？」

「哈哈哈哈！討厭啦，久城同學，怎麼可能嘛！」

艾薇兒放聲大笑，豪爽地拍打一彌的背，好痛……說不定女孩子的臂力意外驚人。

「好痛……」

「這是聶德啊。」

「誰啊？」

「你不知道嗎？就是聶德•巴士達啊。他是英國舞台劇演員，現在很受歡迎喔！不只長得帥，而且還是個演技派演員呢。」

「喔——妳是他的戲迷？」

「不是。」

艾薇兒搖頭說：

「不過這是英國朋友送我的，所以我很珍惜。」

「原來如此……」

艾薇兒很珍惜地將照片收進口袋之後，繼續說道：

「待會兒教室見。」

「嗯。」

「還要聽恐怖的鬼故事嗎？」

「不了……這次換我來說個恐怖的故事給妳聽。」

「可是你不是很害怕嗎？」

艾薇兒似乎完全沒有注意到一彌大受刺激，輕巧地揮手離開。

（她說我很害怕……）

調整好心情，一彌放開腳步繼續前進。

——走出校園的範圍，朝著村子的方向前進。進入位於行人、馬車，最近還有汽車熙來攘往的大馬路旁的當地警察局。

用紅磚蓋成的小巧建築物，外牆爬滿藤蔓，看來是棟隨時會倒塌的古老建築。正面入口的玻璃門上有好幾處龜裂，地板鋪設的土耳其綠瓷磚也充滿裂痕。

占據三樓最大房間——比局長室更氣派，八成因為他是貴族之子——古雷温・德・布洛瓦警官，雙手抱在胸前，抬起頭以驚訝的表情看著被兩個部下阻止，還是繼續衝進來的一彌。

房間的四面牆都是櫃子，分明是警察局，不知為何排放許多昂貴的洋娃娃。是個完全展現出興趣的怪異房間。

「……喲，久城同學。」

「警、警官你這個……混蛋！」

「啊？」

一大堆局裡的人圍聚過來，紛紛尋問發生什麼事情，並且興趣昂然地看著好不容易通過兩個部屬的阻攔，瞪視著貴族警官的東方少年。

「我看過今天的早報了。這到底是怎麼一回事!?」

「不，那是……」

德・布洛瓦警官慌亂開始解釋。

「我根本沒有要她親我，是對方主動的，而且她年紀也不小，完全沒有值得高興之處……」

「我指的不是ＫＩＳＳ！」

「咦？」

「我說的是豪華遊艇！還有遺族的謝意！那不應該屬於你，應該是屬於另外一個人吧!?維、多、利、加……噗！」

就在一彌要說出維多利加的名字時，德・布洛瓦警官以跳遠般的跳躍力衝向一彌。按住一彌的嘴巴，以充血的眼睛瞪著他，彷彿是在暗示他閉嘴。

看熱鬧的人們開始交頭接耳，互相問著這是怎麼回事。警官兩隻手按住一彌的脖子和嘴巴，慢慢伸出一隻腳來，粗暴地把門踹上。

他的手總算離開一彌的嘴。

「……咳咳!?」

「說話小心點。應該沒有洩漏出去吧？」

「可是！」

「好好，我知道了啦！真是拿你沒辦法，我輸給你的熱情了。」

「啊……？」

「我原本準備一個人獨自享受週末的遊艇出遊計畫，悠閒的以『男子漢與大海』為主題，和大自然好好交流。沒辦法，就招待你們一起去吧！」

警官刻意誇張地嘆氣。然後淺淺坐在桌上，抱起一個放在架上的洋娃娃，萬般珍惜地撫摸著它的長髮。

完全不理會一彌用看到變態似的眼光看著他，自顧自地說：

「至於她呢……」

「她？」

「就是……維多利加……啊。如果有我的協助，應該可以得到她的『外出許可』吧。我可是古雷溫・德・布洛瓦警官呢！多少幫得上忙。嗯……」

一彌偏著頭問：

「外出許可？」

「沒事沒事……週末見吧。細節我會再和你聯絡。」

德・布洛瓦警官抓著娃娃的一隻手，朝著一彌揮舞，道了聲「BYE BYE」。感覺到詭異氣氛的一彌，就像是逃走般離開那個房間。

「……所以，就約下週末？」

在聖瑪格麗特大圖書館上，不知何時回到植物園，點起菸斗的美少女維多利加對著再次衝上迷宮樓梯的一彌如此問道。

眼前的地板上，許多攤開的難懂書籍呈放射線狀散布。維多利加的頭連抬也不抬，長長的金髮有如解開的頭巾般散落一地——她正在專心看書。

耳朵傾聽一彌所說的話，手裡依舊不停翻著書頁。看起來似乎是一邊看著難解的書籍，一邊跟一彌說話。

「嗯，對啊。」

「……和古雷溫一起？」

一彌得意洋洋地挺起胸膛：

「雖然無法主張遊艇的所有權，但總算獲得暫時的勝利。」

維多利加慢慢抬起頭來，厭煩地用老人般充滿哀傷的綠色雙眼，往上瞄了一下一彌義憤填膺，沉醉於勝利之中的得意表情。

老婦人般沙啞，卻相當清晰的聲音響起：

「問你一個問題。」

「問吧！什麼問題？」

「久城，你喜歡古雷溫嗎？」

「怎麼可能！我最討厭那種傢伙了。看到他就想吐！」

「另一個問題。和看了就想吐的古雷溫一起度過貴重的週末。久城，你會快樂嗎？」

「當然不快樂啊…………啊!?」

一彌稍微愣了一愣，垂頭喪氣地蹲在原地，喃喃自語：

「……為什麼會變成這樣？」

「我還想問你呢。可是，這樣的話……」

完全不理會意志消沉的一彌，維多利加從書本中抬起臉，懶洋洋抽起菸斗。

從天窗外面射入柔和的光線。

抬起頭來的她，肌膚在陽光映照下顯得白皙明亮。

「這樣啊……那就可以出去了嗎？離開這座牢獄。只要古雷溫拿到『外出許可』……對啊！曾經這麼說過……」

正在自怨自艾中的一彌並沒有聽到她謎樣的喃喃自語。

「週末要和警官一起旅行……為什麼會這樣？不，對方應該也很煩惱，所以是半斤八兩。但是……至少要把髮型整理一下吧？和他走在一起，會有種很丟臉的感覺……」

——回過神來，維多利加已經站起身。

身高一百四十公分左右，長長的金髮，白皙肌膚與閃著翡翠綠的眼珠，與其說是人類，更讓人有種好像是精巧的洋娃娃動了起來的奇妙感覺。

一彌也跟著站起身。

很少看到維多利加站起來，可是每次看到，一彌都會再次為她的身材嬌小感到訝異。在同齡少年當中不算高的一彌胸前，小小的頭帶著金色光澤。維多利加像個孩子般抬頭：

「我去準備旅行的東西。」

「……咦？可是距離週末還有好幾天耶？」

「……」

維多利加不知為何一臉懊悔，默默走開。

然後……

壓下教職員專用的油壓式電梯按鈕，從打開的鐵柵門進入鐵柵欄中。

「咦!?」

「久城，怎麼了？」

「維多利加，妳怎麼可以坐電梯？」

維多利加回頭將菸斗從嘴裡拿出，張口說：

「因為我獲得許可。這是教職員和我專用的電梯……怎麼啦？為什麼快哭出來了？」

「不……我只是以為妳也是爬迷宮樓梯上樓……我以為我們一樣辛苦……」

「怎麼可能。花上好幾分鐘爬樓梯的蠢蛋，大概就只有你吧？這麼說來……」

維多利加的眼神飄向遠方：

「今天早上我坐電梯上樓時，你正在下樓梯吧。因為你衝得很快，所以沒向你打招呼。」

「……請務必叫我一聲！我是專程來找妳的啊！」

完全不顧心情低落的一彌，鐵柵門發出「嘰嘰嘰」的聲響關起。

一彌匆忙地說：

「我也要坐！」

「那可不行。這是教職員和我專用的。你只能用痠痛的雙腿努力走樓梯。對你這個書蟲來說，這可是難得的運動機會。就算用不到，也要練練你的體力！」

聽到這句話，一彌不禁大吃一驚。在他生長的東方島國，兩個哥哥不僅成績優秀，身體也十分強健。一彌總是被兩個哥哥要求跑步、伏地挺身等訓練。回想起來，來到蘇瓦爾王國之後，就沒有做過什麼像樣的運動了。而且留在祖國的兩位兄長身材魁梧、孔武有力，以前他們兩人就曾經聯手修理住家附近的小混混。長大之後，愛打架的大哥成為學者，腳底抹油溜得快的二哥成為政治家，不知道算不算得上是適才適所……

對著不由得懷念過去的一彌，維多利加刻意對他擠出笑容，揮動小手：

「再會，吾友。樓下見吧。」

「呃……等、等……維多利加啊啊啊!?」

喀噠噠——！

電梯僅僅載著維多利加一人，無情地往下降。

4

時光飛逝，終於來到這一週的週末——

烏雲密布的天空，籠罩聖瑪格麗特學園靜謐的校園。

位於平緩山麓中間位置的校園一角聳立著學生宿舍。雖說是學生宿舍，其實就是貴族子弟生活起居之處。這棟以高級橡木建造的二樓建築物，各個房間窗口都飄著絲絹窗簾。內部除了每個學生的寬廣個人寢室，甚至還有著燦亮水晶吊燈的大餐廳，豪華舒適，應有盡有。

一彌與維多利加就在學生宿舍前發生爭執。

「為什麼會有一大堆行李!?維多利加，妳有沒有問題啊？」

「這個是我絞盡腦汁思考才歸納出來，這趟旅行中最低限度，非帶不可的必需品。」

維多利加似乎不怎麼有信心。

一彌的臉漲得通紅，指著她放在地面的超巨大旅行箱：

「只不過是搭遊艇過個夜的旅行，為什麼需要這麼大的行李!?這麼一來，不就和翹家少女沒什麼兩樣了?.這箱子大到可以把我們兩個都裝進去！」

「既然是必要的，那就是必要的！」

像是在賭氣似的，維多利加再重複一遍。

一彌拗不過她：

「奇怪，這些行李比我來留學的時候還要多耶?我可是從遙遠的東方遠渡重洋過來的。呃……坐船就坐了一個月吧？對了，維多利加，這個箱子妳要自己提嗎？」

「當然不是。」

「那……？」

「久城，當然是你提啊。」

「哪有這回事！」

一彌不顧一邊手忙腳亂想要制止的維多利加，逕自打開巨大的旅行箱，開始檢查裡面的東西。維多利加連聲抗議：「怎麼可以亂開人家的行李！」、「這是個人隱私……」但是一彌正在氣頭上，根本沒有任何人可以阻止他。

一旁悠閒經過的塞西爾老師，驚訝地看著他們兩人：

「……你們兩個感情真好啊！不過……你們在做什麼？」

「老師，妳來得正好。妳看這個！」

一彌抬起頭，向塞西爾老師丟出某樣東西。老師嚇了一跳，連忙接住。維多利加依依不捨地說：

「那是我的羅盤……！」

「這種東西遊艇裡面有啦。還有救生衣不用。還有……一大堆的換洗衣物，只需要帶一套就夠了。嗯……為什麼還有整套餐具!?還有椅子!?妳是難民嗎!?」

——結果，行李減少到只剩下可以背在嬌小的維多利加肩上的背包分量，兩人總算順利出發。巨大的旅行箱則麻煩塞西爾老師保管，兩人朝著村子的方向出發。

「久城，你這個人啊……」

維多利加不悅地說道：

「真是愛多管閒事！」

「才不是。」

「聽說交情再好的朋友，在旅行時都會顯露出意外的缺點，造成友情破裂……」

「妳在胡說什麼？啊！維多利加，快點用跑的！我可是決定要搭五十四分的火車了。」

「唔……」

兩人跑向村中唯一的車站。那是個三角屋頂下方掛著圓形時鐘的小巧車站。每當蒸氣火車到站，小小的車站就會開始搖晃，從腳底傳來震動的感覺。

一彌買好車票，通過剪票口，維多利加卻呆呆地盯著他。

「維多利加，妳的車票呢？」

「……車票？」

「要在這裡買呀。快把錢包拿出來。」

看到維多利加掏出的錢包裡塞滿鉅額鈔票，一彌急忙把它收起來。自掏腰包買了她的車票，拉著她的手跑到車站的月台。

穿梭在準備出發旅行的成人之間，兩個人就像是在廚房地板奔跑的兩隻老鼠，匆匆忙忙向前跑。他們預定搭乘的蒸氣火車，正在月台的正中央緩緩開動。維多利加披散金髮，小小身體拼命奔跑，一彌回過頭，拉過維多利加的手把維多利加推上車，然後自己跟著跳上車。

載著兩人的火車開始加速，在轟隆巨響之中通過小小的月台……

維多利加站在車門附近抓住扶手，金色頭髮被風吹起，就像棉花糖般膨脹起來。金髮的另一邊，是好像因為驚訝而圓睜的翡翠綠眼珠。

火車的速度越來越快。

經過村裡廣大的葡萄田，可以看到有人站在田中央……但速度越來越快之後，就再也看不到了。

一彌催促呆站著的維多利加前進，往座位的方向走去。維多利加乖乖跟在他的身後。他們來到座椅相對的包廂，在堅硬的座位上坐好，點起菸斗休息……一彌突然大叫：

「……妳幹嘛帶那麼多錢出門？」

「總會用得到啊。」

「也不用帶那麼多吧！而且要是被人看見，保證大受扒手歡迎。算了，真是嚇我一跳……對了，維多利加——」

維多利加像個孩子般，小小的兩手撐在窗台上，盯著窗外的風景。

一彌戰戰兢兢窺視她的臉龐。

從一大早開始就唸個不停，她大概生氣了吧……雖然這樣擔心，但維多利加並沒有發怒的模樣，只是好像很吃驚地把翡翠綠的眼睛睜得圓滾滾的，緊盯著窗外。

茂密的綠意、山脈延綿的雄偉風景。

接著建築物與道路逐漸增加，轉變為都會的街道。

已經離開學園所在的山區，越來越接近城市。維多利加好奇地看著一切。

偶爾移動視線，仔細瞧著發出咻咻聲響的車輪或冒著黑煙的煙囪。

（簡直就像是第一次坐火車的人嘛……）

一彌閉上嘴，完全不看一心盯著窗外的維多利加的側面，只是眺望遠方。

——目的地是地中海沿岸的熱鬧城市。充滿活力的大型海港城市，完全無法想像它和阿爾卑斯山脈山腰上的村子是相同的國家，就連車站的月台也飄著若有似無的海洋氣息。

一彌催促維多利加下車來到月台上。和村裡的車站不同，這裡有好幾個月台，天花板也高得令人驚訝。一不小心就可能會在車站裡迷路。

慣於旅行的大人們匆忙來回，搬運大型行李的紅衣腳夫從前方橫越。

人們走向其他月台、或是下車抵達月台。這裡是人與人無限交叉的都市車站，但是很少有小孩子的身影。從身旁經過的人，不時以不可思議的眼神看著一彌與維多利加兩人。

下車站在月台上的維多利加，繼續探索四周的景色。一彌好不容易找到收票口的位置，正打算兩人一起走過去時，維多利加好像被附身一樣，興高采烈到處亂走，簡直無法控制。一彌下定決心，用力拉住維多利加的手。

——那是隻小巧的手。與其說是拉著學校同班同學，更像是帶著小妹妹。

「維多利加，不要走散囉。」

「……………」

維多利加不斷東張西望，一看到不可思議的東西就問：

「那是什麼？」

「冰淇淋店。」

「那個呢？」

「書報攤……走直線好不好，不然會被車撞到。」

一彌就像要保護維多利加小小的身體一般，帶她走到外面的大馬路。

寬大的馬路，畫上好幾條線道，車水馬龍的馬車與汽車來來往往。石板路上擠滿人，以熟悉的腳步橫越馬車與汽車交錯的大馬路，攔下馬車並乘坐上去。沿著石板路是櫛比鱗次的光鮮商店，櫥窗裡展示高級糕點或華麗的衣物、帽子和扇子等。

再度聞到海水的鹹味，這裡非常接近大海。

一彌停下腳步，吹了聲口哨，一輛四輪馬車立刻在兩人面前停下。維多利加驚訝地說：

「……是魔法嗎？」

「馬車就是這樣叫的呀。快坐上去吧！」

坐上馬車之後，維多利加還是一樣臉朝著窗外，好奇觀察路上行人和建築。一彌交代車夫要往哪裡之後：

「維多利加……妳很少外出吧？」

「……………」

維多利加沒有回答。可是一彌發現她的側臉看起來有點不悅，也就放棄繼續追問。

——當他們來到與警官約好的里昂灣海岸時，一彌已經快累翻了。

5

面向地中海的海港一角。

這裡停著貴族與富豪的豪華遊艇，還有帶著異國風情設計的郵輪，沿路都可以看到各種膚色的船員上上下下。

一位年輕男子站在一艘停在岸邊的嶄新遊艇上。

橫條紋的水手風襯衫配上潔白喇叭褲，脖子上綁條紅領巾，髮型則照例是帶有攻擊性的尖角……那人就是古雷溫・德・布洛瓦警官。

警官一看到兩人，就高興揮手大喊：

「喲──夥伴！」

一彌一臉疲憊，無力地揮手。

德・布洛瓦警官輕快地飛躍下來，在一彌他們的面前，單腳向前擺出無懈可擊的姿勢。然後突然露出一副很無奈的表情：

「……真是傷腦筋……為什麼我必須要和你們一起共度週末呢？」

「我也覺得不可思議……真是艘不錯的遊艇。」

「這是布洛瓦號。對了，久城──」

警官突然一臉嚴肅：

為了讓站在一旁的維多利加也能聽到，他半蹲下來──這麼一來，兩人的身高差距還是有四十公分以上──然後竊竊私語：

「那個事件……隔壁房間的第一發子彈——」

「怎麼？警官又想要利用維多利加……」

一彌怒氣沖天，倒是維多利加輕戳他一下，示意要他安靜下來。維多利加一副想聽聽看發生什麼事的表情，無奈的一彌只得安靜下來。

「擊中一面鏡子。鏡子被打得粉碎。似乎是占卜師羅珊在占卜時所使用的，相當有來歷的古老鏡子。」

「魔法之鏡嗎……」

維多利加不過是喃喃自語，卻讓德‧布洛瓦警官身體抖了一下。

「房間裡有不少占卜用的道具，例如……」

「裝滿葡萄酒的銀壺、倒滿油的銅壺，還有裝有水的玻璃壺對吧？」

「唔……？」

警官以看到什麼恐怖東西的眼光盯著維多利加。

維多利加聳聳肩說：

「那是占卜時使用的道具啊，古雷溫。」

「連車票怎麼買都不知道的人，對這種事情倒是很清楚。」

一彌雖然在一旁插嘴，但兩人都沒有回應，讓一彌頗感無趣。

「還有，那位阿拉伯女傭……」

「唔。」

「是位美女。」

「警官，這個報紙上寫過啦。」

一彌再度插嘴。

「她說的犯案動機令人不解。因為只找得到怪怪的阿拉伯語翻譯，所以直到現在還沒有辦法溝通。不過按照翻譯的說法，她是這麼說的。」

德．布洛瓦警官話說到一半，突然安靜下來：

「她說：『這是箱子的復仇。』」

維多利加抬起臉，和警官四目相對。

這還是第一次看到這兩人視線相對。一彌屏住呼吸緊張的觀望，擔心不知會發生什麼事情。結果什麼都沒發生。

突然，從遠方傳來怪異的聲音。

「警官～～～！」

「噗～～！」

三個人抬起頭，只看到那對見慣的男子兩人組從碼頭的另一頭跑來。

頭戴兔皮獵帽的兩人組，感情融洽地手牽著手跑了過來。

——是德・布洛瓦警官的部下。

「怎麼了！怎麼回事？」

德・布洛瓦警官挺起胸膛，凶悍地指著兩人，可是他們突然停下腳步：

「警官，這姿勢棒透了！」

「太帥了！」

一彌斜眼瞪著拍警官馬屁的兩人。

（都是這些人亂拍馬屁，才會有這樣奇怪的警官……髮型也不改改……）

當他四處張望，想要向維多利加抱怨時，才發現她不知何時失去蹤跡。一彌四處張望，發現她早已跳上遊艇，正在四處調查……看來似乎又被好奇心附身了。

「警官，不得了了！那個阿拉伯女傭——」

「逃跑了！」

「不會吧!?真、真的嗎？」

德・布洛瓦警官跳了起來。

馬上跟著兩個部下一起離開的警官，又突然回過神來，轉頭對一彌說：

「喂！久城！我先走一步了！遊艇你們可以坐，但是不能開！畢竟只有我有駕照。」

「什麼!?只能坐不能開……?那不是很無聊嗎?」
「我當然知道!忍著點!」
警官斬釘截鐵說完，就和兩個手牽著手的部下一起離開。
目瞪口呆的一彌，只能看著他們揚長而去的背影。
(不能開……忍著點……什麼?)
當他無力回頭望向維多利加時，只看到她身上的蕾絲花邊洋裝已經髒得不像話，絲線般細緻的閃耀金髮也亂澎澎的，正緩步從遊艇上走下來。
淡淡看了德・布洛瓦警官的背影一眼，毫不在意地說:
「喂!這艘遊艇原本是屬於占卜師羅珊的孫女對吧?」
「嗯，的確如此。」
「而孫女是繼承羅珊的遺產……也就是說，這艘遊艇本來是羅珊的。」
「……應該是。」
「嗯，可是呢——」
因為不能開遊艇而感到失望的一彌，面對維多利加的問話，有一搭沒一搭的回答。看到他這個模樣的維多利加，不太高興的把握在手中的東西，遞到他的眼前。
——一個白色信封。

「這是什麼?·」

「在遊艇裡找到的。是寄給羅珊的……邀請函。」

一彌好奇地打開信封。

兩人在遊艇的邊緣坐下,讀起信封中以流暢法文書寫的信。

內容是招待羅珊前往豪華郵輪——邀請羅珊前往停泊於附近海岸的郵輪享用晚餐——日期就是今天晚上。

「……有個我很在意的部分。」

「是嗎……」

一個是料理的菜單。以大一號的裝飾文字,特別寫出這樣的話:

「主菜是『野兔』。」

野兔——

在占卜師羅珊宅邸裡大量飼養的動物。

據說還讓獵犬撲殺……

還有另一點。

就是晚餐的主題。

「~箱庭之夜~(註:箱庭即微型造景之意)」

「……剛才也有聽到『箱』這個字吧？」

「嗯，沒錯。」

一彌與維多利加面面相覷。

維多利加的表情很快就轉變成纏著一彌抱怨「無聊！」、「無聊到家了！」時的表情。雖然說不出來是哪裡不一樣，但是一彌還是可以根據經驗感受到有所不同。

轉頭回視遊艇內部。

光鮮亮麗的豪華遊艇，棒歸棒……但連動都不能動，實在是很……無聊。

「……去看看吧？」

「嗯。」

他和維多利加相互點頭。

——兩人靠著邀請函的地圖找到那艘郵輪時，天色已暗了。在出示邀請函後，兩人登上停泊在昏暗岸邊的那艘船。

他們兩人似乎是最後的客人，才剛上船，船就立刻離岸，在波濤中出航。

不顯眼的船——有如溶入在暮色中的暗色塗裝，停靠在岸邊時，如果沒有仔細尋找，還真的會不小心看漏了……真是艘不顯眼又不太真實的船。跟船身比起來顯得很粗的煙囪，突兀地

正對著夜空，讓一彌忍不住微微發抖。

（咦？這艘船的名字……）

一彌突然偏偏頭。

（好像在哪裡聽過……嗯……想不出來。算了。）

船有如劃開大海般前進。

遠方傳來雷鳴。天氣似乎不太好。

這艘船的名字很低調的寫在船身上。

〈QueenBerry號〉

獨白 ─monologue 1─

又冷又餓。

雖然蘇瓦爾是個富裕的國家，但是對於塞縮在市區小巷裡的孤兒來說，就和身處於冰天凍地的森林裡無異。

逃離孤兒院第三天。

靠著剩飯與偷來的食物撐到現在，但似乎已經到達極限。

──突然一雙強而有力的大人雙手抓住我的肩膀，把我抓了起來。

心想糟糕、被發現了、會被送回孤兒院，但卻無力抵抗。

緊接著就被丟進裝有鐵窗的馬車裡。

簡直就像是關動物的獸欄。

雖然陰暗，不過已習慣暗處的眼睛，可以看到幾個同樣被關在裡面的孩子。每個都是衣衫襤褸，冷得發抖。雖然男孩較多，但也有女孩。

馬蹄踩在石板上，發出輕微的聲響。馬車開動了。

從駕駛座傳來剛才那個大人的聲音。有兩個男人不知在討論什麼。

「已確保蘇瓦爾的小孩。」

「身分呢？」

「嗯，應該是孤兒吧。就算不見了也沒有人會找。沒問題。」

（……怎麼回事？）

不由自主豎起耳朵。

「接下來要去哪裡？」

「還要……兩個吧。放心，很快就能湊齊。」

「很簡單嘛。」

因為冷得受不了，我靠著旁邊的孩子取暖。

馬車不停搖晃。

（會被帶到什麼地方呢……？）

第二章　黑暗中的晚餐

1

豪華郵輪的四周一片黑暗。有著漆黑肌膚，看來像是外國人的領路人一言不發，靠著手上拿著的油燈亮度，引領一彌與維多利加。

嘩啦、嘩啦——可以聽到開始前進的船所激起的浪花聲。

這是一個安靜的夜晚。

一彌抬頭望著天空，發現星光閃爍的黑暗天空，某個地方似乎被遮住了，好像有座直入天際的黑色牆壁擋在前方。仔細端詳這片充滿壓迫感的黑色牆壁，才發現是巨大的煙囪。

位於正中央的煙囪大得與船不成比例，有如漆黑的高塔般聳立著。

「……走吧，久城。」

聽到維多利加的聲音，一彌慌張追了上去。走下船內的階梯，一路往下。原本以為進入船內就會變得光亮，不知為何還是相當昏暗，只能倚靠領路人手上拿著的油燈。

——兩人來到有張細長大桌與耀眼吊燈的大餐廳。吊燈並沒有點亮，房間相當陰暗……不，應該說是漆黑一片。桌上排著還冒著蒸氣的十人份晚餐。十人份的蠟燭，發出勉強能夠照亮手邊的微微亮光，在黑暗中搖曳。

似乎沒有侍者送餐，應該按照順序一一上菜的盤子，從前菜到主菜全都排列在桌上。黑暗中，有九個大人已經就座。晚餐似乎已經開始，餐刀、餐叉發出輕微的碰撞聲。只剩下角落的位置孤零零空著。那是被殺害的羅珊席位吧？一彌回頭朝領路人的方向說：

「我們有兩個人，還能再多加一張椅子嗎……？咦？」

沒有看到人影，所以他打開門跑到走廊上。

只看到領路人手上油燈的橘色燈光在走廊上搖晃，逐漸走遠。

「啊，呃，等一下……？」

明明應該聽得到喊叫他的聲音，可是卻頭也不回。

一彌開始感到不安，沿著昏暗的走廊奔跑追了上去。但是油燈的燈光大幅度地搖晃，越來越遠——對方似乎也在奔跑……

（為什麼要躲我……？）

——走上漆黑的甲板，完全看不到領路人的身影。一彌疑惑地左右張望。

（怎麼會有這種事……不可能消失啊？我明明看到他從這裡來到甲板……！）

——嘩啦！

遠處傳來水聲。

一彌跑過甲板，從欄杆探出身體。

發出小小的水聲，油燈的橘色燈光在漆黑的海上越離越遠。領路人把最後的客人——一彌與維多利加領上船之後，就搭著小船離去了。雖然因為太暗看不到搭乘小船的人影，但一彌還是如此推測。從欄杆探出身體，目瞪口呆地看著小船遠去。

（這……？這是怎麼回事……？）

一時之間，他只能原地呆立。

此時，他的眼中出現低調寫在船身上的文字。

——〈QueenBerry號〉。

他心想，的確曾經在哪聽過這個名字。

他偏著頭思考。

……想不起來。一彌放棄去追那個乘小船遠去的男子，走過甲板回到先前的大餐廳。

「哪，維多利、加………!?」

在漆黑一片的大餐廳裡，人們依舊靠著手邊的蠟燭光線，繼續用餐。而角落的空位……維多利加正坐在那裡，將豪華晚餐狼吞虎嚥送進嘴裡。

小巧的雙手舞動刀叉，將菜餚運送進櫻桃小口。動作優雅又迅速。咀嚼也很快速，菜餚很快消失蹤影。

一彌著急地走近她：

「等、等一下，維多利加！」

「唔咕、唔咕……怎麼啦，久城？我正在用餐呢！別吵我。」

「還有我啊。」

「……我知道啊。」

維多利加吃光前菜，換過刀叉之後開始朝魚進攻。回應的內容令人難以置信。

「我也肚子餓了啊！」

「不過，告訴你，這是羅珊的邀請函喔。」

「……那又怎樣？」

「羅珊只有一個人——因此拿著邀請函來到這裡的我們，也只有一人份的晚餐可以吃。」

「……………好吧。原來妳是這種人。算了，有沒有餅乾？我隨便吃吃就好了。」

維多利加一面以魚刀俐落地剔除魚骨，一面抬起頭。

臉上浮起奇異的微笑。無可挑剔的美麗容顏上，乍看之下似乎在笑，但嘴角卻是扭曲的，半邊臉頰微微顫抖。

……那是維多利加發怒時的表情。

「告訴你，我帶了啊。」

「太好了！那給我吧？」

「放在旅行箱裡。」

「…………啊？」

「根據我的頭腦所推論出來，需要用到的工具。餐具組、椅子組，以及緊急食物組。」

「餐具和椅子不需要吧？」

「現在它們都跟旅行箱一起放在塞西爾的房間裡吧。告訴你，你這是自作自受。」

維多利加哼了一聲轉過頭去。

接著以小小的聲音說：

「雖然你是以優秀的成績從東方來到這裡留學，也是嚴格的軍人世家之後，可是為什麼那麼愛以了不起的模樣說出一堆歪理而造成別人的困擾呢？真是個固執、自以為是的傢伙。我才不要把餅乾分給這種人呢！哼！」

（什麼!?）

一彌啞口無言。

（我的確是腦袋僵硬又太過認真，雖然這是缺點……）

維多利加鬧彆扭似地裝作不知道，開始吃起肉類料理。從旅行一開始就被一彌訓了一頓，看來的確傷了她的自尊。

（固執、自以為是、說出一堆歪理而造成別人的困擾……我不能忍受維多利加這樣說我！）

一彌偷偷握緊拳頭，這時卻有個東西戳了他的屁股兩下。一彌急忙回過頭，發現坐在隔壁位置上的年輕白人男性抬起頭看著一彌。

「啊！對不起……吵到您了。」

「不會……坐吧。」

話雖如此，卻沒有椅子是空著的。一彌不知所措，此時男子浮現親切的笑容，拍拍自己的大腿。

「如果不嫌棄的話。」

「咦!?這不……」

「坐吧！久城。」

心情惡劣的維多利加低聲說道，無計可施的一彌只好坐在陌生男子的大腿上。歪著頭窺視男人的臉，只見他露出親切的微笑。

一彌心想，這張臉好像在哪看過。

五官端正，但因為親切微笑的緣故，與其說是英俊，更讓人覺得是個善良的好人。似乎是個英國人——一口硬梆梆的正統英語，讓一彌想起可愛的轉學生艾薇兒。

對了，艾薇兒……

「您是英國的舞台劇演員對嗎？」

聽到一彌這麼說，男子表情突然一亮：

「你認得我？」

「在我的同學之中有個女孩有你的照片。您是聶德・巴士達先生吧？」

「哎呀，真是榮幸！我的這一份就讓你吃吧。別客氣。」

看到切成大塊的肉類料理已經叉在叉子上送到嘴前，一彌雖然很驚訝，不過還是張開口吃了下去——入口即化般的美味。聶德・巴士達的食量似乎不大，肉類料理幾乎動也沒動。於是他就繼續叉起肉來，餵一彌用餐。維多利加斜眼看了一下，以惡意的語調說：

「滿適合你的嘛。」

「維多利加……」

「快點，多吃一點啊。」

「謝……謝謝。」

──在安靜的餐廳中，只能聽到聶德‧巴士達興奮述說他對於英國演藝界和莎士比亞的評論聲音。

其他的客人都在默默用餐。

又過了十幾分鐘後──

餐具不再發出聲響，聶德的聲音也停了下來。

昏暗的餐廳中只看到蠟燭的燭光輕輕搖晃。整齊地在十人份的位置上發出微弱的亮光。而坐在自己位置上的賓客……

有個客人伏倒在桌上，一動也不動。鄰座的客人深深陷在椅背中，微微張開嘴巴。先是發出猶如鼾聲般的呼吸聲，然後靜止下來。

所有的客人全都睡著了。一彌從聶德的大腿上滑下，發出巨大聲響，倒臥在地板上。

餐廳裡陷入一片靜寂。

除了蠟燭發出「滋滋……」的聲音之外，再也聽不到任何聲音。

然後……

門靜靜打開，某人進入餐廳。

第十二個人，非常小心地檢查每個人的臉孔，確認是否睡著。發出細細的腳步聲，繞著餐桌慢慢走著。當踩到倒臥在地的一彌時，好像吃了一驚般發出小小的叫聲。

不可思議地低頭看著少年，接著又注意到睡在他旁邊的位置，有如絲帶的金髮從椅子上垂下的維多利加。先仔細端詳她的美貌，然後又驚訝地看著地上的一彌和椅子上的維多利加。

確認維多利加面前的名牌。

上面寫著「羅珊女士」……好像在懷疑為什麼這位少女會坐在這個位置上似的歪著頭。

這十一位客人完全沒有發現安靜的入侵者，依然繼續安眠……

2

「……喂！快起來！」

「嗯嗯～嗯……？」

「囉唆又歪理一堆的留學生，趕快起來。」

「維多利加，妳沒有資格說我！」

一彌生氣起身。

還沒爬起來，鼻子前被吐了一團煙。用手掌揮開煙霧，開始咳起來。

「咳、咳……維多利加，拜託妳別吐煙了。這種行為太幼稚了……」

維多利加一臉置身事外的表情。

一彌完全沒有注意到她的模樣，不停左顧右盼環視四周。

「咦……這裡是什麼地方？」

「船艙裡的休息室。」

維多利加一邊轉身面對另一個方向，一邊回答。

這是個與剛才的餐廳大小差不多的休息室。不同的是，從天花板垂下的豪華水晶吊燈，眩目得令人眼睛發痛。

牆邊有個小小的舞台，樂譜攤開著，好像剛才還有樂隊在那裡演奏。中央還擺放著幾張可以玩撲克牌、飲酒的小桌子。角落有個酒吧，放著好幾瓶看來相當高級的酒。

剛才在大餐廳裡的人們，或坐在椅子上，或以桌代床睡在上面。仔細瞧瞧這個明亮的房間裡，大多是四十幾歲，或是更年長的男性。講究的西裝、閃亮的鞋子與袖口、精心修剪的鬍鬚，每一位都看起來頗有身分，但是現在卻一個個抱頭發出痛苦的呻吟。

房間裡不知為何飄著一股有機溶劑的刺鼻臭味。每次呼吸時都會刺激鼻孔。每個人看來都非常不舒服，應該就是這股臭味造成的。

維多利加端正坐在一彌旁邊。再過去則是聶德・巴士達——他也抱著頭痛苦呻吟。

一彌在微微的頭痛中看向維多利加。她看來似乎沒事。

「……這是怎麼回事？」
「看來是晚餐裡被下藥了。醒來之後就看到所有人都被搬到這裡來。」
「為什麼？」
「…………」
維多利加沒有回答，而是端詳著休息室裡面。
房間裡都是年長的男性，讓一彌相當吃驚。二十五歲左右的聶德是其中最年輕的。
「維多利加，這裡全都是些上年紀的大叔。」
「不，並不盡然。那邊有個女人。」
一彌朝向維多利加的視線所在之處看過去。
有個年輕女人坐在靠近門口的桌子上——她身穿豔紅的禮服，而與紅色呈對比的是直垂到腰，富有光澤的黑髮。
或許是感覺到有人在看她，女子突然轉頭望向這邊。
搭配禮服的紅色口紅映入眼簾，長睫毛間的藍色眼珠顯得炯炯有神。
或許是因為娃娃臉的緣故，一瞬間看來好像是小孩穿著大人的衣服，但應該也有二十幾歲吧。雙唇緊緊閉著，倔強的表情，好像是要去找人吵架一樣。
休息室裡只聽到呻吟聲與膽怯的低聲私語，不久又重歸安靜。沒有任何人移動身體，只是很痛苦似的抱著頭。

維多利加的視線從紅衣女子身上轉開，對著一彌低聲私語：

「久城，有件奇怪的事。」

「……什麼？」

「多了一個人。」

一彌眨眨眼睛。

「那是理所當然的啊？原本只有十個位子，再加我和妳。」

「我說的不是這個，久城。除了我們之外，還多了一個人。」

「怎麼說？」

維多利加因為一彌一直聽不懂話中含意而感到焦躁，生氣跺腳。皺著眉頭，以比平常還要快的速度說：

「也就是說，剛才餐廳裡有九個人，然後加上我們是十一個人。但是……你數數看！」

一彌按照維多利加的指示，開始數起休息室裡呻吟的人們。

一人、兩人、三人……

四人……五人……六人………………

數完之後很不可思議地說：

「真的耶！有十二個人……！」

「對吧。」

維多利加很滿意地點頭。因為解釋清楚而感到安心。

「告訴你，也就是說，有個剛才不在餐廳裡的人混進來了。這傢伙很可能就是犯人。這個人並沒有吃晚餐。把被迷昏的我們帶到這裡來的就是這個人，而且還混進我們之中……」

一彌環視休息室。

男人們不約而同的，除了因為安眠藥而頭痛之外，還怯怯地環顧四周。他們之間似乎互相認識，看到對方時都會輕聲發出「啊！」

只有年輕的聶德・巴士達大受驚嚇，不知所措喃喃自語：

「這傢伙……什……什麼？我……我不知道……」

那個紅衣女子突然站起來，似乎很氣憤地大叫：

「這是怎麼一回事！這是什麼地方？真是的……啊，打不開！」

兩手抓著門把，粗暴地用力搖晃。休息室裡所有人的視線都移到她身上。她突然放開門把，以膽怯的表情環視休息室：

「怎麼回事？這裡是哪裡……？為什麼上鎖了!?」

沒有人回答。

年長的男性不知如何是好，紛紛轉開視線。聶德、維多利加和一彌三人則是一直盯著站在那兒的女子。於是女子慢慢向他們三人走近，一屁股坐在旁邊的椅子上。

這時她的小手提包剛好打在一彌的頭上，發出「咯！」的一聲。

「好痛！」

「………」

女子並不道歉，只是低頭看看一彌，用鼻子哼了一聲。反而是聶德問：

「沒事嗎？」

「嗯，還好。」

一彌一邊心想，還真是沉重的手提包啊，一邊斜眼看了那名女子一眼。

然後轉過身，向維多利加小聲詢問：

「喂！維多利加，這到底是怎麼回事？」

「……混沌。」

維多利加不高興地回答。

一彌「咦？」一聲反問，維多利加再接著說：

「……我只能說……能作為重新拼湊材料的碎片還不夠充分。」

「也就是說，妳不知道就對了。」

雖然一彌接受這個狀況，可是維多利加卻反而感到不悅。白嫩的臉頰像孩子般鼓起，狠狠地瞪了一彌一眼：

「我只承認材料不足，並非不知道。」

「……歪理。」

「唔！沒有我不知道的事。這是……」

「……自以為是。」

「唔唔！」

一彌和維多利加互相瞪視。

一彌漆黑的眼珠和維多利加清澈的翡翠綠雙眼之間爆出火花。

過了數秒之後……

敗北的一彌說：

「對不起……」

「哼，知道就好。」

只因為輸在眼神不夠銳利，明明沒錯也只能乖乖道歉。

3

一彌慢慢從安眠藥所造成的頭痛中恢復過來，站起身調查休息室。

酒吧裡面沒什麼特別的東西。當他看著架上並排的酒類時，維多利加也湊近掃視酒瓶。

「有葡萄酒呢。」

「嗯……」

維多利加拔出瓶塞，咕咚咕咚倒入手邊的玻璃杯。鮮豔的紫紅色液體在水晶吊燈燈光的反射下，發出閃亮的光芒。

維多利加盯著瓶上的標籤。然後拿起酒杯，湊近鼻子嗅嗅味道。

「這是陳年的高級葡萄酒。」

「是嗎？」

維多利加點頭。

「按照標籤，這是……」

當兩人低聲交談時，聶德抱著頭靠近。

「小兄弟，你們在做什麼？」

「沒有，只是找找看有沒有什麼線索……」

「最好別到處亂摸。」

一彌被壓低的聲音嚇到，急忙抬起頭來，只見聶德表情扭曲地說：

「只知道菜裡被下了安眠藥，誰知道哪裡還會藏著什麼東西。」

「是啊……」

聶德四下張望，接近上面放有網球拍與網球的桌子。

桌上放有威士忌酒瓶、冰塊與兩人份的杯子，冰塊甚至還沒溶化，看來剛才坐在那張桌子旁的人才剛離座。隔壁桌則像是牌玩到一半時中途離席，桌上散落好幾張牌。

另一方面，一彌在吧台進進出出，還在舞台旁邊徘徊。攤開的樂譜似乎是古典樂的一部分，簡直就像剛剛還有人站在那裡演奏似的。

……這時，有個男子突然站起身，怒氣沖沖大叫：

「不要鬼鬼祟祟的！」

一彌和聶德大吃一驚回過頭去。

男子穿著高級西裝，袖口還裝飾著寶石，是個頗有威嚴的男子。深棕色的頭髮三七梳成整齊的西裝頭，浮有雀斑的臉頰因為怒氣而顫抖不已。

「你、你們也很清楚這艘船的危險吧！還不快坐下！到處亂動不知道會發生什麼事情！」

「……會發生什麼事呢？」

此時安靜的休息室裡，響起維多利加喃喃自語的聲音。男子迅速回頭，但因為找不到發出老太婆聲音的人，困惑地站在原地發問：

「……剛才是誰說話!?」

「是我。」

維多利加好整以暇舉手承認，所有的人一起看向她。

看到這位端坐在角落位置上的少女，所有的人全都屏住呼吸，維多利加閃著一雙綠色的眼瞳，一一掃視他們。金色頭髮就像解開的頭巾般，披散在小小的身軀上。

唔……嘆息聲此起彼落。

「不錯嘛……」、「真是漂亮……！」等交頭接耳的聲音不斷傳出。男人們一開始是驚嘆，然後抱著興趣盯著維多利加猶如精緻洋娃娃般的模樣。

一彌不假思索衝到維多利加前方，遮住他們的視線。

維多利加一臉懷疑地問：

「你在幹嘛？」

「保護妳不被邪惡的視線傷害啊。」

「……少擋路。你害我看不到前面了。」

一彌垂頭喪氣退回原來的位置。

方才大吼的男子，狠狠盯著維多利加：

「這裡沒有小孩說話的餘地！」

正當一彌大吃一驚，準備要回嘴時，突然發現有人閃出來擋在前頭。他抬頭一看，正是那位有著一對炯炯有神的倔強雙眼的紅衣女子。

「不過，這位大叔，這艘船的確非常怪異。」

男子臉上浮起不悅的表情，掉頭就走。年輕女子指著附近的桌子說：

「你們看這張桌子。球拍、球還有連冰塊都還沒融化的攙水威士忌。簡直就像是哪個人剛剛打過網球，進入休息室準備要喝酒一樣。這張桌子散落著紙牌，可是卻沒有任何人……除了我們之外。」

「閉嘴！」

男子大吼：

「女人給我安靜點！」

紅衣女子似乎很驚訝地睜大了眼睛。

站在一旁的聶德跳了出來：

「喂喂！大叔，她說的沒錯……」

「不過是個演員，給我閉嘴！」

「……什麼!?」

聶德氣得快要動手，多虧女子在旁安撫「冷靜點、冷靜點……」才控制下來。

戰戰兢兢的一彌發言：

「可是……」

回頭過來的男子，瞪著一彌說：

「東方人不要吵！」

一彌閉上嘴。

四下瞧瞧，男子發怒的對象，似乎只有一彌、維多利加以及聶德和女子四個人。其他都是和他年齡相仿或稍微年長的男性，他們全都在自己的位子上遠遠圍觀。

聶德與女子也走到一彌身旁。

聶德小聲地向一彌抱怨：

「照他的說法，有資格說話的就只有大叔嗎？」

「唔……」

「這是什麼歪理啊?真是的，有什麼了不起。真令人不快。」

聶德唸唸有詞，抱怨不停。

在旁邊的維多利加則是一臉正經地說：

「……是混沌吧。」

穿著晚禮服的女子開始邊走動邊思考起來。先往前走個五步，再掉頭回走五步似乎是她的習慣，不斷重覆相同的動作。維多利加很有興趣地看著她的模樣。

關在船上的十二個人中，年長的八位男性似乎彼此認識——氣色紅潤、身穿高級西裝、腳踩亮晶晶的皮鞋，連鬍鬚也修得整整齊齊——似乎有段時間沒見面，互相小聲詢問近況。從聽到的對話當中得知，八人分別是蘇瓦爾政府高官、大型紡織公司老闆及外交部幹部等。

即便在這種時候，或許是習性之故，交談內容還是在炫耀自己的頭銜和小孩就讀的學校，但是在這些話題說完之後，他們開始以不安的表情交頭接耳。

「不過，這船……」

「是啊，簡直就像是當時的箱子一般。方才上船的時候還沒注意到……」

「難不成……」

聶德在一旁偷偷瞄著他們，聽見他們充滿不安的竊竊私語，不知究竟是怎麼回事。

一彌沉默思考。

船……溫熱的菜餚……紙牌……

這些字句不知為何讓他覺得相當不安。好像快要想起什麼，卻又想不起來。感到呼吸困難的一彌不由得開始搖頭晃腦。

發現這種狀況的維多利加對他說：

「怎麼了？」

「沒有……」

一彌低頭看著維多利加一臉不可思議的表情，開始慢慢的說：

「對了，我總覺得好像聽過這艘船的名字……是〈QueenBerry號〉。而且……」

越說越覺得心中不安的感覺更加嚴重，於是皺起眉頭。不知何時，休息室裡的男性們全都盯著一彌。他們的臉上沒有任何表情，有如蠟像般蒼白。一彌抬頭環視他們。

（怎麼會有這種反應……？）

陷入思考之中的一彌越來越不安。

（對了……還有什麼呢？花瓶……？）

突然注意到一旁古董櫃上的裝飾花瓶。不知為何總有「就是它！」的感覺……再努力思考一下應該就能想起來。

就在一彌很自然地把手伸向花瓶……

男性們全都屏住呼吸。

剛才那個頗有威嚴的男子突然站起來，以焦急的聲音大喊：

「喂！別碰那個花瓶！」

——咻！

有如劃開空氣的聲音響起。

弩槍的箭從一彌頭頂飛擦而過，硬生生插進牆裡。

連連後退的年輕女子雙手捂住嘴巴，發出不成聲的淒厲叫喊，聶德・巴士達也發出不知所措的怪聲，就連維多利加都睜大翡翠綠的眼瞳，驚訝地往上看。

慢了一拍……

男性們齊聲大叫：

「果然……！」

「這艘船果然是………！」

他們爭先恐後站起身，朝門口奔去。其中還有人因為太急而跌倒在地，發出呻吟。

維多利加和聶德一左一右抓住驚嚇過度而全身僵硬的一彌，一邊用力搖晃一邊大喊：

「小兄弟，你沒事吧！」

「喂！鬼門關前走一遭的心情如何！」

一彌的嘴巴一張一闔。

——想起來了。

當手碰到花瓶……弩槍射出箭……船……的故事。

究竟是從誰那兒聽來的？

……艾薇兒。

就在前幾天坐在聖瑪格麗特學園校舍後院，她所提起的那個怪談。

沒錯。在那艘船裡……

〈而且，當海上救難隊趕到時，郵輪上的晚餐菜餚還留有餘熱，暖爐燒得火紅，桌上還放著紙牌……可是，可是啊！據說沒有半個人……！〉

〈無論是船客或是船員，全都不見了……〉

〈卻沒看到半個人影……〉

〈這是救難隊員搜查船艙時所發生的事……就在他們無意中碰到花瓶時，突然被弩槍射擊，差點就沒命了。〉

〈不一會兒就濺起飛沫，發出不祥的聲響，沉入陰暗的海裡……！〉

〈照理來說，早已在十年前沉沒的〈QueenBerry號〉，之後還是經常出現喔！那艘船在暴風雨的夜裡，從霧中突然出現，上面乘坐著早已死去的人們……〉

〈他們誘惑活人，作為他們的祭品，與船一起沉入…………〉

——一彌想起來了。

就像剛剛還有人坐著的桌子。

溫熱的菜餚。

散落的紙牌。

碰到花瓶就會發射的弩槍……

還有一樣的船名。這艘船的船身上，的確寫著與艾薇兒所說的〈QueenBerry號〉相同的名字……！

「久城，你怎麼了？」

「維、維、維多利加，冷、冷靜聽我說。我們坐的這艘船，也就是說……妳千萬不要驚慌！」

「怎麼樣？」

「還、還有，不可以笑我。我說的句句都是實話，說好了喔！」

「好吧。」

「這是艘幽靈船！」

「………」

維多利加目瞪口呆，一臉正經地：

「………哈哈哈哈哈！」

一彌頹喪崩潰在地。

維多利加以不可思議的眼光看著一彌的模樣說：

「告訴你，你還真有趣。」

「妳聽我說嘛！我有充分的理論基礎。」

一彌重新打起精神，說出艾薇兒告訴他的故事。而那個很有威嚴的男子，也從門前推擠的人群中擠出來，看到一彌的模樣，似乎感到頗有興致，開始側耳傾聽起來。但他的表情卻慢慢因恐懼而僵硬。

維多利加卻浮現出十分驚訝的表情。

「幽靈船？久城，你該不會是認真的吧？」

「不，嗯，我想有可能……」

「你是指這艘船？」

維多利加開始嘴裡唸唸有詞地抱怨：「我還以為你在玩笑，笑一笑就算了。你真是個怪人……」然後拿起吧台上的葡萄酒瓶和裝有紫紅色液體的玻璃杯，轉頭回來。

「你仔細看看這瓶酒。」

「為什麼？」

「顏色鮮豔的葡萄酒，還有破舊的酒瓶標籤。」

「……怎麼了？」

維多利加不滿地緊閉著嘴。

突然間……

室內的燈光突然熄滅。

原本太過明亮的照明突然熄滅，休息室瞬間包圍在一片黑暗之中。爭先恐後推著門的男人們好像陷入驚恐，一個接著一個大聲咆哮，憤怒的聲音還混著慘叫。被他們的聲音和黑暗影響，一彌也感到強烈不安，膝蓋抖個不停，可是為了保護身邊的維多利加，他還是伸出手來。

找不到。繼續小聲叫喚她的名字，伸開雙手到處探尋。

擔心維多利加的心情，也隨著不安變得越來越強烈。

……可是，停電也只是瞬間的事。燈光突然再度亮起，以刺眼的光線照亮整個房間。站在角落的維多利加看到一彌彎腰抬臀，兩手在空中揮舞的姿勢，很驚訝地說：

「……你想做什麼啊？」

一彌趕忙抓住她的手。

休息室被死亡般的寂靜包圍。先前叫喊的男人們彷彿從夢中清醒過來，一個個閉緊嘴巴，很丟臉地低下頭。或許是放心下來，或是尚未從驚嚇中清醒，所有人都一語不發。

突然間，聶德發出尖銳的淒厲叫聲。

所有人都嚇了一跳，轉頭望著他。

聶德盯著一面牆──那是吧台的牆。站在牆邊的紅衣女子也嚇了一跳，回頭看向聶德。

聶德以舞台劇演員般誇張、無懈可擊的動作，抬起手來指向牆壁。原本倚著吧台的女子朝著他指的方向，慢慢回頭。

她嚥下一口氣──

然後發出哭喊般尖銳的叫聲：

「……哇啊啊啊啊啊啊！」

其他的人也注意到，慢了一拍發出叫聲。

──牆壁上有著短短數秒前並不存在的東西──似乎是以鮮血所寫的大字。

血字留下某個訊息……

〈在那之後，已經過了十年。
日子過得真快。
這次輪到你們了。
箱子已經準備好了。
來……〉

〈『野兔』啊，奔跑吧！〉

那個很有威嚴的男子發出很大的聲音：
「哇啊啊啊啊啊！」
一旁的肥胖男子像是受到影響一樣，開始大吼大叫：
「那張邀請函……！」
「箱庭之夜…………！」
「主菜是野兔………！」

「不是享受野兔的奔跑……而是我們正是……野兔！」

八個男子中，有人頹喪不已、有人抱頭、有人發怒，反應各不相同。

他們一面說著謎樣的話語，一面發出害怕的叫聲，驚訝地看著他們的一彌等人完全搞不清楚這是怎麼一回事。

「是幽靈！那些年輕人回來了，這次要拿我們當祭品！」

「這些血字就是最好的證據！」

肥胖男子站起來。

開始朝著門的方向奔跑，企圖逃出這個休息室，抓住門把用力拉。

剛才一直鎖住的門，不知為何輕輕一拉就打開了。

男子打算從門口飛奔出去，向外踏出一步。

從走廊飛來某個東西——黑色的線條。在一彌看來就像是用粗筆畫的黑線。

那條線刺中男子的眉間，從後腦穿出來一點後停住。原本黑色的線，像是以紅色奇異筆畫過一般，只有前端染成紅黑色。

——那並不是線。

而是從走廊飛來的弩槍箭矢。

所有的人都愣在現場，看著這個狀況，一動也不動。

男子的頭部就好像某種柔軟材質，被弩槍的箭輕易射穿……染上鮮血與腦漿的箭頭從後腦杓露了出來。

男子的衝勁被箭的力量抵消，一瞬間站定之後，馬上往後……

——碰！

倒下。

一瞬的靜寂之後，女子……

「……不要啊啊啊啊啊！」

發出就要哭出來的尖叫。然後急急忙忙地解釋：

「我、我、剛剛想要去開門，可是打不開！真的！相信我！如果打開，我就…………！」

維多利加瞇起眼睛，仔細瞧著女子因恐懼而痙攣的臉。

可是，剩下的七個男子根本不管她說什麼。馬上全員站起來衝向走廊。

一個個嘴裡都說著奇怪的話：

「這個門已經安全了！陷阱解除了！」

「甲板！快到甲板去！」

「逃命要緊……會被船殺掉！」

他們跨過屍體衝進走廊，飛奔而去。爭先恐後跑上甲板。

維多利加他們面面相覷。

聶德的表情雖然也因驚訝與疑問而扭曲：

「我們也跟他們一起去……好吧？」

一彌與維多利加，再加上聶德和年輕女子四個人，也戰戰兢兢來到走廊。

裝飾豪華的走廊上四處都有油燈搖晃。每當他們踏出一步，舒適柔軟的深紅地毯便深陷入地板。好不容易找到往上的樓梯，正打算走上甲板時，走在最前面的聶德喃喃說道：

「下雨了。天氣變壞了……」

嘆了口氣。

——爬上樓梯來到船尾的狹窄甲板。整艘船在激烈雨勢的敲擊下，被雷聲大作的夜空與黑暗海洋包圍。而甲板也因為雨水而變得滑溜，一不小心就可能滑倒。

陰暗的天空，就連星星也消失無蹤，只有一片沉重的昏暗。

海面上黑色的波浪激烈拍打又退後。不祥的黑暗，光是看著就好像要被吸進去。海浪的聲音更是響亮震耳。

女子不禁皺了一下眉頭。

「天氣真糟……」

聶德回過頭來問她：

「這麼一來，也不能搭救生艇吧……？」
「是啊，當然了。這種天候還搭小船，簡直就是自殺的行為。馬上就會沉沒。」
聽到女子的話，男人們回過頭來大聲怒斥：
「那要怎麼辦!?」
「怎麼辦……」
一旁的聶德大叫：
「有了，到掌舵室去就好了！開著船回去！」
聽到聶德的話，男人們又爭先恐後跑走。
潮濕的甲板異常滑溜，焦急的男人不是跌倒、就是扭傷腳踝。每個人跌倒之後都是怒氣沖沖的一陣臭罵。
總算找到掌舵室。因為門被上了鎖，所以聶德用身體撞壞木製的房門。可是衝進房裡的聶德卻僵著一張臉走出來。
「沒辦法……」
「為什麼!?」
看到男人們怒聲大吼，聶德好像也被惹毛了：
「舵被破壞了。這麼一來這艘船根本動不了。」

「騙人！」

幾個男人推開聶德衝進掌舵室，腳步踉蹌的聶德差點跌倒。只見男人們悻悻然地走出掌舵室，很不甘心地說：

「真的……被破壞了！」

「……我不是說過嗎？」

可是這些人也不回應聶德的話，只是呆站在原地。

——看來〈QueenBerry號〉似乎只是毫無目標的漂流在暴風雨的海上。沒有駕駛也不知要到哪裡去，就這麼漂浮在海上。

男人們開始尋問聶德，他們似乎認為聶德是對船最熟悉的人。可是不知如何是好的聶德也只能回答：

「我也不知道該怎麼做才好……啊！有了，利用無線電呼救不就好了？海上救難隊會來救我們。」

那群男人異口同聲大叫：

「那就快去做啊！還慢吞吞的幹嘛！?」

聶德突然覺得很不高興。但在調整心情之後，他指著甲板的另一端——船頭：

「無線電室在船頭。到那邊去吧！」

「快點！」
強勁的雨勢打在皮膚上，甚至感到有點痛。
甲板寬約二十公尺左右。船頭在遙遠的另一端，在黑暗中根本看不見。
原本奔跑著的聶德突然停下腳步，回頭向後。
「怎麼了？」
「不妙……」
跟在後頭的女子也大叫：
「這裡有裝飾的煙囪……太大了。以船的設計來說太不自然了。總之，別過去比較好……」
雖然在黑暗之中很難看清楚，但那裡的確有黑色巨大煙囪。完全看不到船頭並非天色太暗，而是被煙囪遮住視線——也就是一彌剛上船時看到的煙囪。
在重視設計的郵輪上經常會有裝飾用的煙囪——
比例上大得出奇，把船的前半部和後半部完全隔開。可是高度就煙囪來說又太低了。
一彌和聶德朝左右分頭確認，可是卻沒有發現通路。甲板上連接船頭和船尾的通道完全被這個奇怪的煙囪擋住了。
年輕女子回頭看著那群男人。
激烈的雨勢淋濕黑髮與禮服，緊貼在雪白的肌膚上。

「從上面無法通過，只能經過船的內側到另一頭。」

「……不要！」

男人們一邊大叫，一邊顫抖著說：

「回到裡面去就會變成野兔！萬萬不可！」

「野兔到底是什麼啊？」

女子不耐煩地吼回去。

聶德也站在她身邊：

「就是說啊。從剛剛開始，我就聽不懂大叔到底在說什麼！還有那些血字！你們都知道是怎麼回事吧？把你們知道的說出來！這是你們的義務吧！啊，喂……」

威嚴的男子發出叫聲，手指著救生艇。那群男人開始同心協力放下救生艇。但是在狂風暴雨波濤洶湧的海上，根本不適合放下救生艇。

聶德與女子再加上一彌都拚命阻止他們：

「天氣這麼糟，你們這麼做會翻船淹死的！」

「少囉唆！閉嘴！」

他們一個接著一個跳上小船。完全不理會大聲喊叫，想要阻止他們的聶德等人，一心只想趕快逃命。

就在充滿威嚴的男子要上船的瞬間，突然一臉不安地回頭。

女子呼喊：

「太危險了！留下來吧！」

男子充血的眼球，好像在猶疑什麼，在半空中游移片刻。

數秒的沉默之後——

「……好吧。」

男子依序看著波濤洶湧的大海、救生艇和留在船上的年輕人。

坐在救生艇上的男人們完全沒有注意到他，連頭都不回。威嚴男子看著他們的眼神，反而充滿迷惑與焦躁。

不顧女子大力阻擋的叫聲，救生艇降落到海面上。

——載有六個男人的救生艇落在海上。

一彌他們抓住欄杆探出身體，直盯著他們。

救生艇在波浪中搖晃——然後一個大浪打來，左右劇烈搖晃之後，就翻船了。

一彌發出大叫，卻只能束手無策地看著他們一一被波浪吞噬。

他們連叫的機會都沒有，就被捲進海底。波浪間激起白色泡沫。連救生艇都消失無蹤。

這不過是短短數秒的事情。

激烈雨勢打在留在甲板上的人身上。

一彌抬頭看著身旁聶德和女子的表情。

聶德一臉蒼白，全身抖個不停，連嘴唇都發青，完全失去說話的能力。

而女子……

女子俯視消失的救生艇，臉上浮現一抹奇異的微笑。冰冷的眼神令人害怕。

紅色的嘴唇動了動，喃喃說了些什麼。

不是要說給別人聽——但是自言自語的內容卻正巧傳到一彌的耳朵裡。

女子這麼說：

「……我不是早說了，都已經警告過了。」

突然發現一彌正注意自己。這次她朝著一彌，很無趣地說了起來：

「大人就是這麼愚蠢。總是自信滿滿做些自己都搞不懂的事。」

她聳聳肩，走向回船艙的樓梯。

「等……這時候怎麼可以說這種風涼話！太過分了……！」

她沒聽到一彌的聲音。

一彌在憤怒與驚訝之際，只能看著她纖細的背影遠去。

4

——存活下來的五人打算回到先前的休息室。

無精打采來到走廊，從敞開的門踏進休息室。

可是……

第一個踏入休息室的女子睜大眼睛。

慢慢伸出雙手掩住嘴巴，發出不成聲的尖叫。

正想進入休息室的一彌驚訝地問：

「怎麼回事？」

「啊、啊、啊………」

女子閉上眼睛。

然後大叫。

「……哇啊啊啊啊啊！」

聶德急忙從走廊的另一端衝過來，大聲叫道：

「怎麼了！發生什麼事!?」

女子開始哭了起來。
在顫抖中抬起纖細的手臂，指著休息室裡面——
「這個房間、這個房間……」
「怎麼啦？」
「別問了！」
一彌從女子的旁邊探出頭來。
然後啞口無言。
——休息室和剛才完全不一樣。
牆壁、天花板，以及地板……休息室在數分鐘之間嚴重浸水——吧台、桌子、酒瓶都像是沉入海底很久的沉船，牆壁腐朽吸飽水分，天花板還答答地滴下污水。
泡水的休息室，被略暗的油燈照得一片慘白。
女子好像歇斯底里發作一般，開始痛哭了起來。聶德站在她旁邊，不知如何是好。當他出聲打算安慰她時——
「怎麼會這樣！誰來想想辦法吧！」
被吼了一頓的聶德只得閉嘴，不知所措地環視四周。
「這個休息室……為什麼會這樣？牆壁上的字雖然還在……」

牆壁上的血字和剛才一模一樣。在慘白油燈的照射下更顯得陰森可怕。腐朽的桌子被聶德走動中的腳輕輕一踢就整個塌下，桌子殘骸還發出撲鼻的海水味。就連地板也因為腐朽而脆弱，每走一步就能感覺到令人不快的綿軟感觸。

「……喂！」

最先進入這個泡水休息室的聶德回頭，站在休息室的正中央，以呆滯的表情看著這邊。慢慢指向門口附近的地板。

以顫抖的聲音與求救的眼神盯著一彌他們，開口說：

「喂……剛才被弩槍射死的大叔，屍體哪裡去了？」

女子突然停止哭泣。

一彌也驚訝地看著四周。

——屍體消失了。不在這個泡水休息室的任何角落。就連飛散的血液和腦漿也消失無蹤。

女子開始哭喊起來：

「消失的人有問題！一定是那個傢伙做的！把我們困在房間裡自己裝死，看到我們被嚇壞的模樣而暗自竊喜！喂！滾出來！你躲在哪裡!?」

穿越休息室，檢查桌子下方的舉動，讓聶德也愣住了：

「冷靜一點，我確認過了，那個人的確死了。真的。」

「什麼？你也是同黨!?」
聶德沉下臉：
「鬧夠了沒！」
兩人互瞪。
這時，放棄搭上救生艇的男子插話了：
「……別再吵了。太無聊了。」
「你說無聊!?」
「總之先坐吧。我累了……」
五個人互望。

選擇比較不潮濕的椅子坐下。
聶德仍是一副心浮氣躁、魂不守舍的模樣，開始抖起腳來。他的腳每抖一下，地上的海水就會發出嘩啦嘩啦的聲音。年輕女子一臉蒼白，坐在位子上兩手抱頭，光滑的黑髮散落在膝蓋上。另一名男子顯得特別安靜，可是嘴唇發紫，一臉畏怯。
只有維多利加看起來就和平常一樣，以優雅沉穩的儀態坐下。一彌看到她的表情，竟然感到一陣安心。

五個人按照順序自我介紹。

那名男子開口：

「我名叫莫里斯，是蘇瓦爾王國外交部的幹部。」

他並不打算透露更多。接下來是年輕女子報出自己的名字。

「我是茱莉・蓋爾。職業……沒有。我父親擁有煤礦。」

似乎是個有錢人家的千金──莫里斯用鼻子哼了一聲，不悅地插話：

「……什麼嘛，不用工作也能過活，真是不錯啊。」

這句話讓看來像是經歷過苦日子的舞台劇演員聶德・巴士達的臉有點僵硬。

一彌與維多利加也報出自己的名字，莫里斯似乎曾經聽過維多利加的名字，態度突然一百八十度大轉變。但是對其他三人依然不改傲慢的姿態。

五個人精疲力竭坐在椅子上，互相盯著對方。

女子──茱莉・蓋爾似乎稍微冷靜下來，細聲低語：

「這究竟是怎麼回事？這裡又是什麼地方？事情怎麼會變成這樣？」

「誰知道？我也完全摸不著頭緒……」

「我也不知道……」

莫里斯則是低下眼光陷入沉默。三人雖然嚷嚷著說出自己的疑問，卻又先後注意到緘默的莫里斯和一直在觀察狀況的維多利加。
安靜的緊張感充滿整個房間。
就在緊張到達極限的瞬間……
一直保持沉默的維多利加突然開口，以粗糙卻清楚的聲音說：
「莫里斯……」
被叫到名字的男人突然嚇了一跳。
所有人都注視著他們兩人。
莫里斯僵硬得像是被蛇盯住的青蛙一樣，等著維多利加說出下一句。
維多利加開口：
「你剛才在我朋友要去摸花瓶時發出警告……」
「啊、啊啊……」
「你為什麼會知道那裡有機關呢？」
莫里斯咬緊嘴唇。
茱莉與聶德也小聲發出「啊！」的叫聲。
沉默降臨在泡水的陰暗休息室裡。
嘩啦……嘩啦……

令人不安的水聲在靜寂中響起。

對著無法回答的莫里斯，維多利加繼續說：

「除了我們……四個年輕人之外，你們八位大叔——似乎都知道些什麼，盡說些我們聽不懂的話。這群人裡就只有你活下來。你是不是應該向我們這些搭上船的年輕人說明一下呢？」

莫里斯繼續用力咬著嘴唇。

嘩啦……嘩啦……

只有水聲。

——最後莫里斯總算放棄，抬起臉來小聲含糊開口：

「……因為一模一樣。」

「什麼東西一模一樣？」

「和十年前一模一樣——所以我知道。」

他慢慢抬起的臉就和死人一樣蒼白。張開已經變成紫色的嘴唇，莫里斯說：

「這艘船就是十年前在地中海沉沒的〈QueenBerry號〉。也就是說『那個』又開始了。所以我才會知道。」

獨白 — monologue 2 —

1

好像有人在搖我的身體。

睜開眼睛，漆黑的眼瞳很擔心地望著我。和眼瞳一般漆黑，潤澤的黑色長髮垂落在地。是個和我年齡相當的美麗少女。

「嗚……！」

打算要坐起來時，頭痛得不由自主地呻吟起來。少女發出低低的「啊……！」以纖細雙手將我扶起。

這裡是什麼地方……？

這又是怎麼回事？

按著頭掃視四周——那是個寬敞的休息室。四處有看似古董的高級圓桌和椅子。角落還有一個酒吧，上面有不少酒瓶。除此之外還有一個小舞台，樂譜翻到一半。

光滑的木紋地板上，倒臥著好幾個年齡與我相仿的年輕人——看來應該超過十個人。每個人都按著頭喊痛。

突然發現我們的種族各自不同，其中又以白皮膚占絕大多數。不過其中參雜日耳曼風格的金髮碧眼高大少年，以及像是在地中海沿岸長年日曬的捲髮少年，可以看出國籍都不相同。也有黃皮膚的矮個兒少年。另外還有淺黑皮膚的矮小少年和相同膚色的少女，但他們兩人發現互相交談的語言並不相同，似乎因此相當困惑。

他們發出抱怨頭痛的呻吟聲，我聽得懂的就只有英語和法語，其他大多是速度很快的異國語言，完全聽不懂在說些什麼。

有位黃皮膚少年走過來，幫忙我起身。我用法語說了句「謝謝（Merci）」，他似乎聽得懂，對我點點頭。

「這是什麼地方!?」

很清楚的英語發音——因為相當大聲，所以大家都轉過頭去。

有個白人少年站在那裡——身材削瘦，短頭髮，浮有雀斑的皮膚，看得出來常常曬太陽，相當健康。

「我被坐著奇怪馬車的大人抓住，吃過飯後就睡著了。醒來之後就在這裡。而且頭痛得不得了……這是怎麼回事？」
我站起來說自己也是相同狀況，那個少年很不安地說：
「大家都是相同狀況嗎……？」
只有聽得懂英語的孩子點頭。
雀斑少年環視休息室。在房間中焦躁不安的繞行一圈之後，抬起頭來盯著門。
手伸向門把。
……打開了。
他走近門窺視外頭——外面是一條長長的走廊。明亮刺眼的油燈把豪華的木製牆壁和深紅色的地毯都照得閃閃發亮。
雀斑少年的臉上流露出不安，看著這邊。
「欸……」
半信半疑似的偏著頭問：
「是不是在搖晃啊？」
「……對啊。」
聽他這麼一說，的確感覺到地板正在很有規律地左右搖晃，每隔數秒就持續晃動……
這是什麼地方？

為什麼會在這裡呢？

原本按著頭的少女突然抬起頭，以尖銳的聲音大叫：

「是不是地震？對了！一定是地震！」

休息室中一陣慌亂。

甚至有幾個人連忙躲進桌子底下。就在驚慌之中，剛才對我伸出援手的中國少年說：

「……不是。」

他說的是英語，發音相當標準。

全部的人都轉頭朝向他。

「這種搖晃不是地震。」

雀斑少年反問：

「……你憑什麼這麼說？」

中國少年以冷靜的聲音說：

「因為這裡不是陸地。」

「你說什麼？」

「這種搖晃……是波浪。我們在海上，這個房間應該是船艙。我認為這不是陸上的建築物，而是一艘船。」

休息室再度回歸寂靜。

2

雀斑少年帶著幾個已經從頭痛中恢復過來的人走進走廊。其中有剛才的中國少年和一開始扶我起身的黑髮少女。

走廊被油燈的燈光照得眩目。深紅色的地毯是我從未踏過的高級貨，每踏出一步都會深陷下去，雙腳就好像被拉扯似的，差點跌倒。

正當我嘴裡唸唸有詞時，中國少年回應：

「嗯。這裡一定是比較接近甲板的樓層吧。」

「何以見得？」

「像這樣的郵輪，最上面的樓層通常都是給付出高昂船費，享受豪華乘船旅行的頭等客人使用。所以休息室、客房，就連走廊都非常豪華。」

「喔……」

「再往下走，就是二等、三等客人的便宜客房，或是船員使用的設施。所以照明也很節省，地毯也是舊的。再往下是貨艙或鍋爐室。骯髒的模樣讓人完全無法想像是同一條船。」

「……你倒是挺清楚的。」

雀斑少年一臉狐疑地嘟囔。聽到他的話，中國少年苦笑：

「喂喂！拜託別懷疑我。我只是曾經以三等船客的身分搭乘過郵輪而已。」

「喔……」

我們邊走邊自我介紹。

雀斑少年自稱修伊。中國少年的名字是楊。

「這位是？」

既然被問到，就回答了。

「我是艾利克斯。多多指教。」

「法國人嗎──我是說，艾利克斯一開始說的是法語，而且英語帶有點腔調。」

「不是的，我是蘇瓦爾人。」

「原來如此。我知道那個國家的公用語是法語。」

黑髮少女似乎不懂英語也不懂法語。不過，看來她也知道大家是在自我介紹，於是指著自己的臉：

「麗。」

然後用手指表示自己十四歲。

——就如同楊的說明，有著豪華休息室的樓層似乎是船的最高層，找到樓梯再往上爬，便來到郵輪的甲板。

一個接一個來到甲板上。陳舊的甲板在每個人踏上時都發出喀啦喀啦的聲音。

來到甲板上的少年們……全都目瞪口呆地站著。

果真是海。

夜裡的海……

籠罩在身處城市無法想像的黑暗之中，漆黑的波浪嘩啦、嘩啦地搖著船。遠處掛著蒼白的月亮，在海上投射出一條浮動的光線。放眼望去都是深沉遼闊的大海。除了這艘郵輪，再也看不到任何其他東西。

一名少年在甲板上奔跑——

「喂——！」

大叫：

「有沒有人在！救救我們——！」

只聽到寂靜中傳來波浪的聲音。

另一名匈牙利少女也跑了起來——是個高大而豐滿的少女。她靠在欄杆上正要喊叫……

——咻！

一個怪異的聲響。

少女的尖叫聲，在破風的聲音之後響起。

修伊慌忙問道：

「怎麼了？」

「有個東西劃過我的臉。我踏到這附近的時候，突然有個東西從那邊飛來，掉進海裡……」

修伊的手伸向少女的臉。

即使在黑暗中也能看得很清楚，他的手上沾滿鮮血。

少女的右頰似乎被某種東西削過，留下一條淺溝——血就從那裡滴落。當少女發現到這件事之後，馬上發出尖叫聲倒在地上。

我和黑髮的麗兩人一起扶起少女。

修伊等人朝著少女所指的方向調查，但是因為實在太暗了，根本不知道是什麼東西。

——進入掌舵室的楊回來，搖著頭說：「沒辦法。」

「舵壞了。不對……應該說是被破壞了。」

「為什麼？我們為什麼會在這裡？還有，這艘船好像除了我們之外就沒有別人了？為什麼只有我們這些小孩子呢？」

面對大叫的少年們，楊也只能困惑地搖搖頭：

「……我不知道。」

修伊站起身來說：

「繼續待在這艘船上恐怕只會出事吧？對了！無線電呢？這種船應該有無線電吧？」

「是啊。喂，艾利克斯……無線電室應該是在船頭吧。」

楊這麼問我，但我也是第一次坐上這種船，根本一無所知，只能搖搖頭。楊向修伊說：

「應該是在那邊沒錯……！」

兩個人一起跑出去。

但是立刻垂頭喪氣回來。

「怎麼啦？」

「沒辦法……前面有個好大的煙囪把通道擋住了。沒辦法從甲板直通船頭。我想那應該是裝飾用的煙囪才對……不過也大得太誇張了。簡直就像是故意做得那麼大，好阻礙我們，不讓我們到無線電室……」

「那該怎麼辦……」

修伊抬起頭。

「當然有辦法。別走甲板，先掉頭回到船艙，走下樓梯，然後從走廊往船頭的方向走，再爬上另一頭的樓梯就好了。這麼一來就能抵達船的另一頭，接下來再利用無線電呼叫海上救難隊吧。」

楊也點頭：

「是啊。他們應該很快就會來救我們。」

手臂上突然有柔軟的觸感——麗似乎很不安地靠了過來。雖然語言不通，不過我還是向她點點頭，表示不用擔心。

我們兩個一左一右支撐著臉頰流血的匈牙利少女，再度走下樓梯。

走廊還是一樣，油燈的燈光照亮得眩目，可是柔軟的深紅色地毯卻和剛才不太相同，猶如鮮血的顏色帶點黑色。在我們兩人攙扶之下的匈牙利少女靜靜地哭了起來。我和麗相望，在支撐她的手臂上多用了點力。

回到原來的休息室，從頭痛中恢復過來的少年們，在看到受傷的少女時都顯得心驚膽顫。

留在休息室裡的少年各自找椅子坐下，不安地低著頭。吊燈的明亮燈光照耀的每一張臉孔，都是慘白而雙眼無神。

他們站起來，詢問我們：

「怎樣……」

「狀況如何?」

修伊連忙制止他們:

「……我現在就來說明。」

修伊代表大家說明在甲板發生的事。然後提議大家一起前往無線電室所在的船頭。沒有人反對,全部都無力點頭。

大家簡單自我介紹——名字、年齡、國籍,與怎麼到這艘船上來的。

所有的人都不同的地方只有一個:國籍。

英國、法國、德國、奧地利、匈牙利、義大利、美國、土耳其、阿拉伯、中國,還有……蘇瓦爾。

包括麗在內,有好幾個人語言不相通,不過這十一個年輕人之中,似乎沒有相同國籍的。簡直就像是到世界各地去抓來的。

然後,也有共通點。

就是所有人都是孤兒——消失之後,也沒人會來尋找。

3

再次走上走廊。這次十一個人全員到齊。相同的走廊，沿著與剛才相反的方向前進。

或許因為不安的緣故，我的頭又開始痛了起來。不假思索按住頭低聲呻吟，麗注意到我的模樣停下腳步。

「艾利克斯……」

麗指著掛在脖子上的心型項墜，那是晶亮珐瑯材質的粉紅色項墜。她抓著我的手，有點強制地碰觸那個項墜，然後比手畫腳示意要我閉上眼睛放輕鬆。

心型項墜似乎是麗的護身符。她的意思似乎是說，只要有它就不會有事。

大大的眼瞳充滿寧靜的光輝。我心想，真是個溫柔的女孩。向她點頭表示謝意，繼續和大家一起向前走。

走在最前方的修伊和楊突然大聲喊叫，大家都嚇了一跳，紛紛停下腳步。

「……被堵住了。」

修伊自言自語。

「怎麼回事!?」

臉頰受傷的匈牙利少女撥開其他人往前進。因為所有人都往旁邊靠，所以即使站在隊伍的最後，也能清楚看到前方的東西。

面前是一道牆。
延伸到天花板的黑色牆壁堵住走廊，這麼一來就無法通過了……！楊臉色大變轉過身來，衝出走廊。
「楊!?」
我呼喚他，他回頭過來：
「這一層樓的走廊不會只有這裡。我要確認是不是有可以通到船頭的走廊！」
所有人都點頭同意，跟在楊的後面。
可是……所有的走廊都被同樣的黑色牆壁給堵住。匈牙利少女開始啜泣，有的人也被她影響，快要滴下眼淚。
修伊和楊開始小聲討論。然後昂首高呼：
「各位，我們去找電梯！」
所有的人都抬起頭來。
修伊以有力的聲音說：
「我們要到下一層樓去。那裡或許不像這邊一樣被牆擋住。懂了嗎？好，我們就出發去找電梯！」
楊指著走廊的一個方向：

「在那邊。」

兩人也不多說什麼，領頭往前走。

特別明亮的一角有電梯大廳。黑得發亮的鐵柵欄令人感到陰森。旁邊還有貼著白色磁磚的樓梯，但是不知為何並沒有開燈，只有那裡是一片黑暗。

修伊環視少年們：

「這裡也有樓梯，你們想怎麼做？」

所有的人面面相覷。

或許是對陰暗的樓梯感到恐懼，所有人都爭先恐後擠進電梯。看見他們把電梯塞滿，修伊呆站在一旁，像是重新振作起來似的開口說話：

「大概還能坐兩個人吧……楊、艾利克斯，你們兩個帶領他們到下一層樓去。」

「修伊，你呢？」

我這麼回問他，他抓起麗的手往樓梯的方向走去。

「我和麗走樓梯。好了，我們樓下見。」

麗回頭看著這邊，用力揮手——真是可愛。我以眼光向楊示意，匆匆忙忙搭上電梯。

鐵柵欄發出「喀噠、喀噠——！」的聲音之後關了起來。

電梯發出嗡、嗡！的聲音，慢慢往下降。

在燈光的照射之下，每個人都很緊張，沉默不語。

就在這時……！

「哇啊啊啊啊！」

少女的哀號聲響起——那是麗的聲音。

楊匆忙地想要打開鐵柵欄。電梯終於停在下一層樓，發出短暫的噪音之後搖晃一下，鐵柵欄慢慢打開。

所有的人都連滾帶爬飛奔出去。

「麗!?」

「修伊，怎麼了？」

我朝著黑暗的樓梯踏出一步。

周圍暗得伸手不見五指，我只能夠用聲音呼喚。可以聽到上方隱約傳來好像抽噎的聲音。

「……麗!?」

當我正想衝上去時，楊似乎在電梯中找到緊急小型手電筒，從後面趕了過來。他按下開關，照亮樓梯的黑暗。

手電筒的暈暗白色圓型燈光照射在屍體上。

所有的人都發出低聲哀號，呆站在原地不知如何是好。

……修伊倒在地上。

像是壞掉的木偶般倒在樓梯的平台處。俯臥在地，左手壓在身體下方，右手則是整齊地扶在腰上。麗則是蹲在一旁，好像嚇壞了。

「怎麼回事！」

德國少年對麗大吼。因為身材高大，看起來比實際年齡十四歲還要大上很多，體格已經接近大人，相當有壓迫感。

麗雖然被大吼一頓，可是想要說明卻語言不通。只有用比手畫腳的方式，表示她跟著修伊走下樓梯，卻發現他倒在這裡。

德國少年以德語腔調的英語，不耐煩地大叫：

「妳的比手畫腳，誰看得懂啊！」

接著衝到修伊的身邊，打算檢查他的脈搏。他拿起靠近自己的右手，然後以指腹按住手腕內側。

——脈搏已經完全停止。

「怎麼會死了!?」

不知道是誰的聲音，麗只是搖搖頭表示不知道。

漆黑的樓梯，只有楊手裡拿著的手電筒發出的圓光。而楊似乎因為驚嚇過度，手電筒掉落在地上。圓光向下掉落，發出喀、喀啦啦啦……滾落樓梯的聲音。樓梯再度陷入黑暗之中。

有如死亡般沉重的寂靜。

這時，不知是誰高聲尖叫：

「我不要！我受不了！我要回家……！」

是那個臉頰受傷的匈牙利少女的聲音，接著只聽見衝下樓梯的腳步聲。我急忙想要把她追回來。楊吞了口氣說：

「喂！妳要去哪裡啊！別走散了！」

沒有回應。楊又大叫：

「我們如果不集體行動的話……很危險的！」

已經到達下一層樓的走廊。環視四周的情況，可以看到少女的背影轉過走廊轉角，消失在黑暗之中。

「喂……！」

從後頭追上來的少年們面面相覷。

不能放著不管……為了將她找出來，大家約定以電梯大廳為集合地點，開始分頭搜索。

4

走廊似乎比較陰暗。

只不過往下一層樓，照明就比原來大家所在的休息室外面的走廊來得更加陰暗一些。並且可以看得出來走廊所使用的是木節較為明顯的木料。深紅色的地毯也因長年使用，到處都有黑色污漬，在頻繁走動的中央部分也變得較稀疏。

每一個房間都是單人房。走廊完全沒有變化，讓人有種在相同地方不停打轉的錯覺。自己一人踏在太過柔軟的地毯上，心中的不安越來越強烈。

有種不祥的預感。

心臟怦怦跳動。

我的腳步自動停下。不知為何，就是不想轉過下一個轉角。努力激勵自己之後，總算慢慢轉過那個轉角。

在那裡……

大家搜尋的匈牙利少女就在那裡，獨自站著。睜大眼睛，身體僵硬。我的視線對上她的眼睛——雖然想要轉開目光，但卻做不到。

……少女已經死了。

不知不覺之間，我張開嘴，大聲尖叫的聲音響徹走廊，完全無法想像那是自己的聲音。

她並不是站在那裡，而是喉頭被戰鬥刀刺穿，釘在走廊的牆壁上。我腳步踉蹌地走近，心中想著總該做些什麼，伸出手向前——

以顫抖的手碰觸到她的身體時，插入壁中的刀尖鬆開，屍體落在我的懷裡。

很重，有種沉沉的重量感。

聽到尖叫聲，少年們先後靠了過來。每個人彎過轉角出現時，看到屍體都放聲尖叫。楊戰戰兢兢地走近：

「艾利克斯……還好吧？」

我無力地點頭。

聚集過來的孩子們看著彼此，顫抖不已。最後人高馬大的德國少年充滿憤怒地大喊：

「是誰殺的？」

「這……不知道。」

對於楊的回答，他激動說道：

「不知道!?」

「沒有人有刀不是嗎？我們所有的人都是兩手空空上船的。而且，郵輪裡怎麼會有這種軍用的危險刀械？」

「那……？」

大家又互望一眼。

珊珊來遲的麗終於到達現場，看到少女的屍體，她屏住呼吸，以手遮口。

在安靜的現場，抱著屍體的我有件事說不出口。

走廊盡頭有個古董櫃。抽屜微微開著。從站著的位置，就可以看到抽屜裡的東西。

裡面有閃耀著不祥黑色光芒的小型手槍。

這艘船裡面有武器。

但是……

為什麼………………？

第二章　幽靈船〈QueenBerry號〉

1

浸水的休息室籠罩在沉重的空氣當中。只有維多利加態度超然，其他四人則是重複著低頭與彼此互瞪的動作。

滴答、滴答……

從泡過海水的牆壁、天花板，滴下帶有顏色的積水。潮濕的空氣包圍休息室。

「……這艘船曾經載過十一個年輕人……也就是『野兔』。」

莫里斯低聲說出這句話之後，像孩子般抱住膝蓋顫抖不已。

剩下的四人互相對望。

這時，茱莉・蓋爾奮力站起身來，逼近莫里斯。

「……這是怎麼一回事？」
聶德・巴士達低聲問道：
「喂……他們怎麼了？」
「……死了。他們自相殘殺。」
「怎、怎麼會這樣？」
「事情就是這麼安排的。」
莫里斯喃喃自語，畏懼地抬起臉來。
休息室的牆壁上，有著和剛才一樣，令人毛骨悚然的血字。莫里斯抬頭望著它，眼瞳浮現膽怯與絕望，張開失去血色的嘴唇：
「我不能說更多，這會違反我的職務規定。但是……總之，這艘船〈QueenBerry號〉在命運之夜結束，領回他們的遺體之後，便沉入海底。在我們完成作業撤退之後，海上救難隊曾經前來確認船的狀況——裡面當然是空無一人。四處還有幾個對付他們的陷阱，而且有發生爭執的痕跡，因此他們原本想調查船內，但是因為開始浸水而無法進行。你、你……」
莫里斯指著一彌。
「從同學那裡聽來的怪談，起源就是十年前的這個事件。當我聽到你提到〈QueenBerry號〉不斷出現在海上，誘惑著人們上船時，我就相信——」

莫里斯擠出陰沉的聲音：

「……這艘船是幽靈船！」

聶德與茱莉對看一眼。兩人也是半信半疑，臉上的表情因不安而僵硬。

聶德抓住網球往上拋，接住掉落的網球，再往上拋。茱莉則是起身在休息室中來回踱步。

莫里斯繼續說：

「這艘船就是因為死去年輕人的怨恨，而出現在海上的幽靈船。之後整整過了十年……」

他說著說著，肩膀開始微微顫抖起來：

「把害死他們的大人們聚集在一起，以這種方式索命……」

莫里斯臉色蒼白。

「我們也會沒命……」

顫抖蔓延到全身，莫里斯以絕望的表情說：

「不可能到得了無線電室！我們已經被他們那些、那些『野兔』下詛咒了！」

「……噗！」

有人忍不住發出聲音。

因為莫里斯狠狠瞪著自己，一彌連忙搖頭。看看旁邊，維多利加低頭端坐著。臉孔被黃金絲線般的金色長髮遮掩，因此看不到表情。

她纖細的肩膀抖個不停。

「……喂！維多利加？」

「噗呵呵呵呵！」

一彌喝斥她別發出怪聲音，順手把金髮往上攏，卻發現維多利加竟然掉下眼淚……笑了。

「哇哈哈哈哈！」

「喂！這有什麼好笑的!?」

聶德等人不再玩球，或是停下踱步，驚訝地看著大笑的維多利加。

維多利加以優雅的姿態從包包中拿出菸斗。完全不理會在一旁的大人，點火吸上一口。慢慢吐出煙……還把煙朝向莫里斯的臉吐去。莫里斯被嗆得「咳、咳、咳咳咳……」地咳不停。連忙用手把眼尾溢出的淚水擦掉。

好整以暇抽過菸斗的維多利加，總算把空著的那隻手，伸入蕾絲洋裝的口袋裡。抽出口袋的手裡握著一個一彌到相當眼熟的信封，那是……維多利加在羅珊的遊艇裡發現的邀請函。

聶德看到之後：

「啊！我也有收到。」

「我也是，放在上鎖的車子裡。」

「莫里斯……我問你一件事。」

維多利加朝著年紀是自己三倍的外交官，笑著問：

「你想想看……鬼會寫邀請函嗎？」

「!?」

莫里斯倒吸一口氣。

一彌等人總算恢復理智。面面相覷，好像從夢境中醒來，眼睛睜得大大的。

莫里斯張開嘴巴，好像想要反駁，卻毫無自信地低下頭。

「然而……可是……即便如此，這件事情還是很怪異啊！這艘船當時的確是沉入海底了。還有牆壁上的血字。停電時間不到十秒鐘！普通人怎麼可能在這麼短的時間裡，寫出這麼大又這麼長的文字？而且，這個休息室……和剛才完全不一樣！」

他暗沉的眼瞳裡浮現淚光，憤怒大喊：

「妳給我說清楚！如果這不是鬼的話，又是什麼呢？」

「當然是人啊，先生。」

終於止住大笑的維多利加，嘴裡以冷靜的語調喃喃說道。聶德不安地捏緊網球，茱莉像是習慣性玩弄著胸前的心型項墜，繼續踱步。

每走五步就轉身，再走五步——無意識卻精準的動作。維多利加偷瞄著她，微微皺眉。

心型琺瑯的項墜已經有相當歷史，還有好幾處掉漆。孩子氣的設計和她的深紅禮服並不搭配，但茱莉仍珍惜地以手指不斷撫弄那個項墜。

「這些全都是人可以做得到的事情。先生，你仔細想想。」

「妳說什麼？這話怎麼說？」

莫里斯把臉靠近維多利加，維多利加厭惡地轉開身子，朝向一彌，心情不悅地說：

「久城，你來說明。」

「咦？說明什麼？」

「混沌的重新拼湊。」

「……我？」

那雙澄清的翠綠眼睛緊盯一彌。

短短三秒。一彌又在互瞪時敗退，只好語無倫次地說：

「這個嘛……混沌、或者說是這個世界上的謎呢，全部都是碎片，要把它們全都丟進鍋子裡面燉一燉……嗯，就是黑暗之鍋。從鍋裡盛到碗裡，這就是所謂重新拼湊。這麼一來就能夠漂亮地把謎題解開了，可是功勞總是被警官搶走……我到底在說什麼啊？」

「夠了。你這個半吊子好學生。」

「維多……!?」

不管嘴裡還嘟囔著半吊子才不可能來留學的一彌，維多利加開口：

「首先，告訴你們，鬼是不可能寫什麼邀請函的，懂了嗎？」

聶德首先點頭。接著是茱莉，最後莫里斯也百般不願地點了點頭。

維多利加揮動邀請函——

「有人寫了這個，讓我們集合在這艘船上。」

「可是，這艘船應該早就沉沒啦！」

「你怎麼知道這就是十年前沉沒的〈QueenBerry號〉？」

對於這冷靜的聲音，莫里斯好像想要說些什麼來反駁，但是又閉上嘴。維多利加繼續說：

「在這裡我提出一個假設。」

所有的人都吞了一口口水，看著這個自信滿滿的少女。維多利加繼續以冷靜的聲音說：

「我認為，『這是由知道往事的人，照著當時的船再度重現』。」

休息室一片死寂。

聶德與莫里斯互看對方，默默不語。一彌也楞住了。

泡水的休息室裡，只聽到滴答、滴答的水聲。

茱莉總算回過神來。戰戰兢兢詢問：

「這怎麼說？」
維多利加轉向她。態度依舊充滿自信，以一貫低啞的聲音開始說明：
「這是相當簡單，而且符合常理的解釋。首先，〈QueenBerry號〉似乎在十年前就已經沉沒，如果這是事實的話，現在我們乘坐的這艘船，就是以假亂真的仿造品。」
「什麼……？」
「這麼想的話，一切就不一樣了。先前認為是鬧鬼現象的事也能夠得到說明，妳覺得這樣如何？」
茱莉眉頭深鎖，陷入思考。再以困惑不已的聲音回問：
「嗯，也就是說……？」
維多利加露出不耐的表情，邊抽菸斗，邊以慵懶的聲音說：
「你們用鼻子聞聞看吧。」
一彌他們用力吸著鼻子。雖然維多利加吩咐他們用鼻子聞聞看，可是卻被維多利加菸斗飄過來的味道干擾，根本聞不到什麼味道。
這時，維多利加繼續說：
「……你們沒有聞到剛油漆過的味道嗎？」
「啊!?」

一彌回憶起一開始聞到的有機溶劑味——那個充滿整間休息室的味道。頭痛之所以會這麼嚴重，似乎並非完全是安眠藥的緣故……

「還有，先前我注意到的葡萄酒。久城，你還記得吧？」

聽到維多利加這麼一問，一彌也想起來了。剛才自己說這艘船可能是幽靈船時，維多利加一臉不耐，想用葡萄酒瓶和倒入酒的玻璃杯說明。但之後就被停電打斷，完全忘了這回事……

「想必在這個休息室的吧台裡，也有相同的葡萄酒瓶吧……」

維多利加指著吧台的方向。所有的人都轉頭看向那邊。吧台裡排著許多酒瓶。

「我拔開瓶塞倒入玻璃杯裡的葡萄酒，竟然恢復原狀了呢！你們不覺得很奇怪嗎？」

「啊……」

一彌低語。

的確，維多利加拔出瓶塞的葡萄酒瓶與倒入酒的玻璃杯都不見蹤影。一彌靠近吧台確認，發現貼著相同標籤，還沒有拔出瓶塞的酒瓶。

維多利加招手要一彌拿過來。接過葡萄酒瓶繼續說：

「這是一八九0年，也就是超過三十年前釀造的蘇瓦爾產葡萄酒。因為十年前沉沒的正牌〈QueenBerry號〉上面有這種酒，犯人為了忠實再現，所以才會放在船上。只不過……」

維多利加聳聳肩，拔出瓶塞，咕嘟咕嘟倒入手邊骯髒的玻璃杯裡。和剛才相同的鮮豔紫紅色液體從瓶中流出。

「裡面裝的是假貨。像這樣倒出來就可以發現，呈現新釀葡萄酒特有的鮮豔色澤。儲藏較久的葡萄酒應該是更為混濁的顏色。而且在香氣上……」

她舉起酒杯，湊近鼻子。

「喏……是新釀葡萄酒的味道。」

「……這是怎麼回事？」

一彌反問。維多利加指著標籤：

「這家酒廠在一九一四年夏天，就毀於世界大戰的戰火之中。現在早已經買不到了。這恐怕是重新製作標籤之後，換貼在新釀的葡萄酒上面吧。」

四人互相對視。每個人臉上的表情都相當不安。

「可、可是！」

莫里斯大叫：

「牆壁上的血字呢!?這間泡水的休息室呢!?還有屍體消失到哪裡去了!?」

「莫里斯，你不用大吼大叫我也聽得到。」

維多利加皺起眉頭。

然後，從椅子上站起來，慢慢向前走。

打開休息室的門：

「這個房間，恐怕不是一開始我們所在的休息室。」

「!?」

「我們曾經前往甲板，然後再回到這裡。經過相同的走廊，理所當然地走進這個房間，這是為什麼呢？」

茱莉沒有自信地說：

「因為門開著。其他的房門都是關著的……」

「正是如此。那麼……喂！久城。」

被維多利加一喊，一彌立刻站起來。維多利加走到走廊上，用手指示意：

「你按照順序把這邊的門全部打開。」

「嗯……」

一彌打開旁邊的房門——裡頭是豪華的頭等客房。天花板垂下水晶吊燈，還有巨大的四柱床，柔軟的沙發。連桌巾與衣櫥都極盡奢華之能事。

再打開隔壁的房門。又是裝潢幾乎相同的寢室。

連連打開好幾個房門，相同的房間連綿不絕。越來越覺得厭煩。一彌再度回到休息室，然後轉向與先前開門那一側相反的另一邊，打開與休息室緊鄰的房門。

「……!?」

那裡的景色，令他不由自主倒吸一口氣。

他轉向維多利加的方向，嘴巴一張一闔，維多利加像是早就知道了一般「唔……」點點頭，向其他三人招手。

所有的人都探頭瞧瞧隔壁的房間。

……裡面是如同照片一般，一模一樣的休息室、桌子、酒吧、小台，以及……牆壁上的血字。

打開的葡萄酒瓶和倒入酒的玻璃杯。

地板上有被弩槍箭矢貫穿眉間的肥胖男子屍體。

茱莉與莫里斯發出尖叫聲。

轉過頭來，只見維多利加心滿意足地點頭：

「一開始我們就是待在這個房間。不過我不知道究竟是誰把原來的門關上，打開另一扇門。告訴你們，這是很簡單的手法呀！」

2

——五人進入屍體倒在地上，大夥一開始待的休息室內。

和泡水的休息室相比，這裡的水晶吊燈亮得刺眼，反而令人無法鎮靜下來。找到適當的椅子落座，又是互望著對方。

維多利加以尖銳的視線看著血字牆壁，最後她指著牆壁旁邊的吧台：

「久城，你去瞧瞧裡面有什麼。」

「咦……？」

「這是我將混沌重新拼湊之後的答案。告訴你，那裡恐怕有我們當初檢查沒有的東西。」

雖然一彌搞不清楚維多利加話中的含意，還是站起身來走近酒吧。按照維多利加的指示，瞧瞧裡面有什麼東西——

有某個被揉一團的東西隱藏在角落。是布嗎……？不，不對，這是……

「是壁紙！」

一彌不由得大叫。茱莉與聶德聽到他的叫聲也站起來，一起探頭看著吧台裡面。

「啊!?」

「這難道是……？」

那是和牆壁相同圖案的壁紙——揉成一團之後硬塞進去。

慢一步才接近酒吧的莫里斯大叫：

「這、這的確是……壁紙!?」

「是的。」

維多利加好整以暇地點頭。

「你聽著，莫里斯。十秒左右的時間，的確無法在牆壁上寫下那些文字。但是，把貼在文字上的壁紙撕下來再藏好，十秒應該相當充足吧？」

聶德「呼……」地嘆了口氣。

在他旁邊的茱莉則是一邊抓著心型項墜，一邊搖搖頭，烏黑長髮也隨著飄蕩。

「原來如此。」

「什麼嘛！知道真相之後，原來這麼簡單啊！」

聶德又開始玩網球，茱莉繼續走五步又回頭，好像無法定下心來。

只有莫里斯抖著肩膀兩腳跨立，仔細端詳每一個人，突然大叫：

「喂！你們！」

維多利加皺起眉頭：

「……你這是什麼態度。」

莫里斯後退到牆邊，害怕的依序看過一彌、聶德、茱莉，最後是維多利加的臉。

然後，並沒有針對任何人，只是以發抖的聲音問：

「誰是『野兔』……？」

剩下的四個人一臉疑惑，看著莫里斯的臉。

「『野兔』是指什麼？」

「那些年輕人的代號。我們就是這麼叫他們的！」

莫里斯抖得直打哆嗦。

背抵著血字躍動的牆壁，大喊：

「一定是這樣沒錯吧？如果這不是幽靈船也不是詛咒的話，那這是什麼？」

其他人互相對望。最後茱莉「啊！」叫了一聲，以手掩口。

小聲低語：

「……難道是復仇？」

茱莉半信半疑的聲音得到回響。聶德也回應她：

「啊！原來如此！」

莫里斯一邊發抖一邊說：

「少裝蒜了！那封邀請函寄給哪些人!?包括我在內，當時的大人們都被聚集在此吧？大家都死光了，只剩下我……但是，房間裡的四個年輕人……又是誰？並不是十年前的參與者——

為什麼你們會有邀請函？」
肩膀因為激烈喘氣而顫抖不已，但他繼續說：
「『野兔』並沒有全部死掉……有幾個活了下來，得到解放。把他們養肥，保證他們之後可以過著優渥的生活……喂！你們當中應該有存活下來的『野兔』吧!?在十年後的現在……」
茱莉把弄項墜的動作變得更加激烈，聶德則握緊網球。
「為了向我們復仇，打造這艘仿製的船，邀請我們過來！」
「不是這樣……」
「我才不可能做出這種事……」
兩個年輕人以傷腦筋的表情對望。
「那你們為什麼會有邀請函！」
一彌提心吊膽地說明，自己和維多利加的邀請函是怎麼來的。
也說明兩人是同間學校的同學。本來是要趁著週末搭遊艇出海，但是卻在上船之前突然取消行程。正當感到無聊時，在遊艇裡找到邀請函……
莫里斯聽到遊艇之前的主人是被殺害的名占卜師羅珊之後，臉色瞬間變得蒼白。
「羅珊女士……被殺了!?」
「你們認識嗎？」

莫里斯沒有回答一彌的問題。

接著聶德開始說明自己的身世：

「我原本是無親無故的孤兒，一直在孤兒院裡住到十八歲。之後一邊工作一邊累積演員的經驗，很幸運地有機會踏上舞台。如今也算是略有薄名，這週……」

說到這裡突然停了下來，好像在衡量該不該說，速度變得很緩慢：

「我在舞台劇的休息室裡，收到花束與邀請函。嗯……因為常會有熱情戲迷提出邀請……正好舞台劇也告一段落，我想順便喘口氣，所以就來到這裡。」

說完之後便低下頭。

接著茱莉開始說明：

「剛才我也說過，我的父親是擁有煤礦的資產家。一向在自由的環境中長大，在寬廣的房子裡過著自由自在、任性妄為的生活……」

茱莉的速度和聶德相反，好像急著要趕快說完似的，滔滔不絕。

「不久前，我的車裡明明上鎖卻不知為何出現那封邀請函。雖然覺得有些怪異……但是生日快要到了，所以我想應該是朋友的惡作劇，還在過來的路上竊笑……看來我錯了……」

各自的說明結束。

莫里斯低頭沉思，一臉嚴肅地皺起眉頭。

然後他抬起頭，指著聶德與茱莉：

「是你們兩人之一吧……對不對？」

「怎、怎麼會!?才不是呢！」

莫里斯瞄向維多利加：

「這位少女很明顯是個貴族千金。所以不可能做這種事，她的朋友也是。而且就年齡上來說也太小了。十年前他們兩人才五歲而已。並沒有年紀這麼小的『野兔』，應該都是十幾歲出頭的小孩子。」

「為什麼你能這麼斷言呢？至於她的身分，也不過是她自己這麼說而已！說不定根本是個來歷不明的小鬼！」

「少在那裡胡說八道——只要一眼就可以看出是不是貴族，氣質就是和平民不一樣。像妳這種暴發戶的女兒或許搞不清楚，可是我本身擁有子爵的頭銜，而且長期與上流階級接觸。我可以保證，這孩子是如假包換的貴族。」

「竟……竟然說我是暴發戶!?」

對著就要撲上去的茱莉，聶德大喝：「別鬧了！」

莫里斯一臉輕蔑看著他們：

「那些『野兔』都是孤兒——我一看就知道誰的出身低。一個是演員，一個是暴發戶的女

兒?究竟你們兩個誰是當年沒死成的年輕人呢……哼!」

莫里斯抬頭望向天花板,笑了出來。

茱莉像野獸般大吵大鬧,打算攻擊莫里斯,一旁的聶德趕緊叫一彌過來幫忙。一彌急忙按住茱莉。

茱莉像野獸般發出「嗚……」的聲音之後:

「莫里斯,你才可疑!」

「……妳這什麼意思?」

她以負傷野獸被逼到絕路般的危險眼神,狠狠瞪著莫里斯。莫里斯被逼到牆邊,膽怯回頭看著茱莉。

「那些『野兔』說不定有父母,或代替父母照顧他們的人,或疼愛他們的人。我沒說錯吧?」

「……………」

「莫里斯,十年前你大約是三十五歲——如果二十多歲生子,正好是十歲左右。按照你的說法,正好是『野兔』的年齡。」

「我的女兒就讀貴族學校。」

「你是貴族、是外交官的說法,也只不過是你自己說說罷了。只要待在這艘船上,就沒有辦法證明。說不定你就是為了幫死去的孩子復仇，而建造這麼一艘船的瘋狂父親。沒錯！你一定是因小孩死去而瘋狂的父親！」

「真是胡言亂語……」

莫里斯失笑。

然後瞪著茱莉：

「不准侮辱我！」

看到他的表情，一彌相信莫里斯應該是貴族沒錯。來到這個國家之後，已經看到厭煩的那種貴族自尊與一本正經的態度，也可以在莫里斯身上找到。他應該沒有說謊……

「對了。這位偵探般的小姐一開始就說，多了一個人。因為當時我就在附近所以正巧聽到。一開始餐廳裡只有十一個人，但在休息室醒來時卻多了一個人，變成十二個人。最初不在餐廳裡的那個人就是犯人。他混入我們之中，看著我們一面害怕一面死去，偷偷嘲笑我們。」

「什麼……！」

「那個演員的確在餐廳裡面。雖然因為太暗無法確認長相，但是當時的無聊演員話題，的確傳進我的耳裡。」

聶德的臉頰似乎因為丟臉而突然變紅。

茱莉緊咬嘴唇，瞪著莫里斯。

「……不過，暴發戶女兒。妳不在裡面吧？」

「我在！」

「沒有證據。」

「這麼說來你也一樣。沒人看到你的臉！犯人不是我就是你！」

「什麼！」

兩人互瞪。

茱莉以憤怒顫抖的聲音說：

「莫里斯，那你為什麼沒有坐上那艘救生艇？」

「那、那是因為……」

「你的同伴們全都為了逃出這艘船，爭先恐後坐上救生艇。對了，一開始說出要搭救生艇逃命的不就是你？既然如此，為什麼大家都坐著船降到海上，卻只有你沒有上船？」

「那是因為……當時妳不是大喊危險嗎？」

「你會乖乖聽暴發戶說的話嗎？這位貴族大叔？」

茱莉語帶挑釁說著——這次換莫里斯握緊拳頭打算撲上去。聶德又慌忙擋在兩人中間。

和大聲呼吸的莫里斯互瞪的茱莉，突然嚇了一跳，肩膀開始發抖。

「……噓！」

以食指湊近嘴唇，保持沉默仔細傾聽。
聶德小聲問道：
「怎麼回事？」
「……有水。」
茱莉的臉孔因恐懼而僵硬。
「有水聲！」

打開門衝出走廊。
站定之後側耳傾聽——
結果……
……嘩啦、嘩啦、嘩啦！
好像可以聽到下方傳來水聲……正當大家因為不知道為什麼會有這樣的聲音而呆站在原位時，莫里斯突然說：
「浸水了……！」
他一邊呻吟，一邊跪倒在地。聶德搖晃他的肩膀：
「大叔！怎麼回事啊！」

「……」

莫里斯沒有回答。聶德用力抓住他的肩膀搖了起來，莫里斯睜開緊緊閉上的眼睛——他的表情因為懼怕而痙攣，低聲說：

「船底……開了小洞，水會一點一點滲進來……這樣才能……達到定時的效果。」

「咦……？」

「這是我過去……的主意……」

「什麼……？」

莫里斯一時陷入沉默，肩膀抖個不停。

然後抬起頭，以淒厲的聲音喊叫：

「快點到無線電室去！船要沉了！」

獨白 —monologue 3—

1

「有武器啊——！」

很大的聲音響起。

少年們站在亮著油燈的走廊。我抱著喉頭被戰鬥刀貫穿的屍體站在走廊中央。一時之間，沒有任何人移動，也沒有任何人發出聲音。

剩下九個人……少了修伊與匈牙利少女。

剛才大叫的是德國少年——十四歲就長得人高馬大，接近大人的軀體，因為憤怒而顫抖。

少年抓住最後趕到的少女背後的手，強硬扭到前方。

我不由得大喊：

「住手！」

「……你們看！這裡就有武器。這女人身上就帶著武器！」

充滿威脅性的德國腔在走廊響起。

看到他拿出來的東西，所有人都倒吸一口氣。

麗的手中不知為何握著一把小小的刀……如象牙般流線型的小刀，冷冷地反射油燈的光。

少年以厭惡的口氣說：

「就是她！人就是她殺的！」

麗想要掙脫他的手，刀子從手中掉落。德國少年繼續抓著她的手，撿起刀子。

麗不斷搖頭表示事情不是這樣。臉上的表情好像就快要哭出來。楊挺身而出：

「快住手！」

「黃種人憑什麼命令我！」

「什麼……!?」

另一個少年連忙擋在憤怒的楊前面。

那是從一開始就經常和德國少年結伴，高大而肌肉發達的少年，有著與德國少年相似的氣質——國籍是奧地利。他加入德國少年，抓住麗的另一隻手：

「只要把她解決掉，我們就不會有危險了吧？偷藏武器的就是她！媽的，別再裝出聽不懂的樣子！」

「不是的，她是真的聽不懂！」

我大聲喊叫，但是他們連看都不看我一眼。德國人突然對著動彈不得的麗一陣猛揍。麗小小的頭左右搖晃，長長的黑髮在空中舞動，楊急忙制止他們。其他的年輕人渾身僵硬，只是在一旁看著。

「對了！剛才修伊死掉時，也是和她兩人獨處。妳想要把我們通通困在這裡，再一個一個殺掉吧！」

「絕不讓妳這樣做！我們這就先把妳宰了再說！」

兩個高大的少年擅自決定之後，更加奮力毆打麗。

……事情已經脫出常軌。

或許因為被困在船上，眼前又看到屍體，心情受到動搖吧？楊大叫「快住手！」撲上去阻止他們兩個，但是對上兩個健壯的少年，體格上的差異太過懸殊，沒兩下就被推開。

接著……

德國少年發出喊叫，舉起刀子——

大夥全都尖叫起來！

刀子瞄準麗的心臟，用力往下揮時，楊以全身的力量撞向少年阻止他。圍在四周的年輕人，也異口同聲阻止德國少年。

因為楊的阻礙，刀子偏離原來瞄準的心臟。德國少年全身的力量沒有插入麗的心臟，而是輕輕擦過側腹部之後落在地板的紅地毯上——地板發出「喀嗤」的聲音。

看似鋒利的刀子在麗的側腹劃出的淺淺傷口，鮮紅的血噴出，被劃開的皮膚猶如開出血花般染成紅色。

所有的人都全身僵硬。

麗發出細小的叫聲，然後……就昏倒了。

「……!?」

奧地利少年看到血之後總算回過神來，突然把麗放開。但德國少年卻睜著充血的雙眼，再度揮動刀子。

我立刻丟下手上的屍體，打開古董櫃的抽屜，取出小型手槍。

兩手緊握，大聲叫道：

「立刻放開麗！不然我就要開槍了！」

……德國少年回過頭來，以看到不可置信之物的表情停手，然後靜靜舉手投降。

其他的年輕人也一臉震驚地看著我。

走廊被寂靜所包圍。

我知道自己握著槍的雙手不停顫抖，不知道這麼做究竟對不對，但我只是一心想要救麗。

即使語言不通，我也知道她是個溫柔的好女孩。

楊以沉穩的聲音說：

「艾利克斯……冷靜點。」

「嗯……」

「怎麼會有手槍？」

「就放在這裡。」

我指著櫥櫃，所有人的視線都盯著櫃子裡看。

「剛才發現的——不知道為什麼，但船上的確有武器。我相信麗也是這樣拿到刀子的，雖然不知是為了自衛或是想要拿給大家看，但我認為她只是把找到的刀子拿過來而已。」

「什麼……！」

「你們兩個離麗遠一點。楊，麻煩你處理一下麗的傷口……」

楊點點頭，跪在地上，撕開自己的襯衫，幫麗的側腹止血。

我對著舉手投降的兩人說：

「我不會開槍……我不會做出這種事。不過……不要再懷疑夥伴了。大家同心協力，快點前往無線電室……」

德國少年以震耳欲聾的音量大叫：

「我、我拒絕！」

似乎是為了爭口氣，他抓著一旁不知所措的奧地利少年，兩個人一起離開。

「喂……」

「這裡有武器對吧？那我們也要武裝。誰會相信一個偷藏武器的女人！」

他瞪了一眼倒在地上的麗，然後一路打開走廊上的櫥櫃，找找看有沒有武器，越走越遠。

他們走了相當遠之後——

「……找到了！」

聽到遠處傳來他們的叫聲。

彎過走廊的轉角，再也看不到他們的身影。

黑皮膚，四肢修長的土耳其少年突然站了起來，以低沉的聲音，很生氣的不知在喊叫些什麼。雖然因為語言不通聽不懂，但應該是在說太危險了，要他們快點回來之類的吧。他指指走道，再指指自己，點點頭後往前跑。

土耳其少年纖細的身軀轉過走廊，消失在轉角處。

就在下一個瞬間……

巨大的槍聲響起。可以感受到走廊地板、牆壁，以及空氣好像都因此而震動。剛才繞過轉角的少年身體像是被震飛一樣，倒退仰倒地上的景象再度出現在我們的視野中。

一片靜寂。

……慢半拍之後，有人淒厲叫喊。

我緊握手槍，奔向土耳其少年。

原本想要扶他起身，才注意到他的胸口開了一個大洞。瞬間我還以為可以看到地毯的花樣，但很快就被湧出的鮮血染紅，再也看不到。

我知道他是被威力強大的槍給擊中。土耳其少年臉上帶著有點憤怒的表情，就這麼一命嗚呼。應該是剛發現自己的遭遇就死了吧。

我抬起頭，看到德國少年和奧地利少年逃走的背影。而德國少年似乎抱著機關槍。

2

死了三人。修伊、匈牙利少女與土耳其少年。

我揹著因為疼痛與出血而失去意識的麗，開始移動。為了前往無線電室，我們沿著走廊朝著船頭方向前進。

剩下六個人。中國人楊、黑髮的麗、我自己、輪廓深邃身材高大的義大利少年，以及又高又瘦，一頭捲髮令人聯想到天使的美國少年，還有綁著褐色長辮的嬌小法國少女。

大家一臉驚恐，默默無言向前走。

下面的樓層和上面豪華的樓層相較之下比較陰暗，有種說不出來的詭異。四處可以看到的油燈與門把，也都是儉樸實用的設計。

「……啊！」

最前面的法國少女，發出悲傷的叫聲……回過頭來，用搖頭的方式對我們表示過不去。

……這一層樓的走廊也在途中被牆壁阻隔，無法通行。為了再往下一層樓，我們大家朝著樓梯走去。

楊對我說：

「艾利克斯剛才的表現好勇敢。」

「不，你才是……」

「剛才的手槍還帶在身上嗎？」

我點點頭。楊接著說：「拿出來我看一下。」

他接過槍：

「這是安全裝置，要打開才能開槍。」

「這樣啊。」

我點頭，突然想到——

「……那麼，剛才我就算扣扳機也無法擊發？」

「嗯。不過，我不覺得艾利克斯會開槍。」

我看著他的眼睛。

楊瞇起細細的眼睛朝著我微笑。

我們走樓梯，再往下一層樓。

五人走在比剛才更陰暗的走廊，背上的麗依舊昏迷不醒。雖然擔心她的出血是不是已經止住，但現在只能繼續向前走。

沿著走廊前進，心中祈禱不要又被牆壁擋住。

這一層樓大多是二等客房和船員餐廳，都是老舊而寒酸的房間。走廊也很陰暗的，原本深紅色的地毯也顯得黯淡粗糙。

法國少女突然小聲說起毫不相關的話題——是關於她從小生長的鄉下地區。面對於這樣唐突的話題，我也不知該如何回應。

「我們家有養羊，不過因為貧窮所以也養不多……用羊奶做乳酪，然後全家一起吃……那時大家都很健康……還常去比較有錢的朋友家裡的葡萄酒窖玩呢！好懷念……」

仔細觀察像個男孩子穿著襤褸衣衫，綁著辮子的少女，長相還滿可愛的，但是臉上卻浮著膽怯蒼白的表情。美國少年勉強拉開嗓門，附和她的話題：

「哇！羊奶乳酪啊，簡直臭得難以入口嘛！」

那是變聲前有如少女般的聲音。法國少女生氣地想要反駁：

「哪會，明明就很好吃！」

「喔……我住的地方是一大片的玉米田。你們喜歡玉米嗎？當時我每天都喝玉米湯、吃玉米燉肉……好懷念啊！」

楊也以溫和的聲音述說自己的事——父親還在世時，父子倆時常一起四處旅行……成為孤兒之後，就在港口打零工勉強糊口。那段到處旅行的生活真是愉快……

這時，義大利少年卻很無聊似的：

「啐……！」

然後喃喃自語道：

「……現在是說這種話的時候嗎？我根本不想聽。」

被潑冷水的人們，只好把嘴緊緊閉上。

接下來大家持續沉默地往前走。此時美國少年突然開口：

「你們不認為，根本就沒有犯人嗎？」

大家都大吃一驚，盯著他的臉。

美國少年以少女般的聲音，努力說明：

「我仔細思考了一下——這艘船上似乎只有我們，而且到處都藏著武器。但是事實上卻並非如此。我認為我們並不是犯人。」

「……嗯！」

法國少女點頭，很高興地大聲說：

「我也這麼認為。除了我們之外，把我們困在這裡的壞人一定也躲在某處。雖然不知道究竟為什麼，但是一定有人特地把我們帶到這艘船上，惡意破壞船舵，看到我們被整得很慘就在一旁竊喜。所以才會故意用牆壁擋住走廊。這些……並不是我們做的啊！」

看到兩人互相點頭，輪廓深邃的義大利少年開口反駁：

「喂喂！那修伊為什麼會死呢？在那個地方除了我們根本就沒有別人。楊拿手電筒照亮的時候，除了麗之外什麼人都沒有。還有，那把刺穿喉嚨的刀……」

或許是說著說著才想起來，他的聲音開始發抖：

「那個匈牙利少女，如果遇到我們之外的陌生人，應該會大叫不是嗎？可是卻連一聲都沒吭就被殺了……如果說，殺害她的就是我們之中的某個人……」

「呃……這個嘛……」

美國少年啞口無言，只得垂下頭。

陷入沉默。

然後楊抬起頭來：

「艾利克斯……記得我們上甲板的事嗎？」

「嗯。」

「當時匈牙利女孩的臉頰受傷了……她所說的話……」

我回想起來。

當時在甲板上，接近欄杆想要呼救的匈牙利少女，曾經放聲大叫。

（有個東西劃過我的臉。我踏到這附近的時候……）

沒錯，當時她的確說過……

（我踏到這附近的時候，突然有個東西從那邊飛來，掉進海裡……）

楊點頭：

「她踩到某個東西——然後，可能是箭之類的東西飛過來，劃傷她的臉頰。她所指的方向，並沒有任何人。」

「也就是說，是什麼……？」

義大利少年探出身子。

楊以半信半疑的表情說：

「說不定，犯人一開始就在船上設下無人的陷阱。並不是有人用刀攻擊，而是設計成只要經過刀子就會飛出來。」

「可能嗎……？」

——六人為了安全於是蹲在地板上，打開房門移動家具。

某個房間一開門就飛出弩槍箭矢。

在另一個地方掉出來的鐵鎚差點打中法國少女。楊將她撞倒在地，巨大的鐵塊剛好落在她的鼻子前面。

那是踏到地板上某個位置，就會牽動鐵鎚的機關。

並非所有的房間或是走廊都有陷阱，但還是能感受到惡意與瘋狂，這種感覺非常嚇人。大家為了互相取暖、保護，擠在一起往前走。

不一會兒，法國少女突然嚇一跳，開始顫抖。

「怎麼了？」

「……我聽到水聲。」

所有人都豎起耳朵——

但什麼都聽不到。正想反問法國少女時，楊突然說：

「噓……！」

我吞下想說的話。

慢慢地……

——嘩嘩、嘩嘩、嘩嘩。

可以聽到微弱的水聲。

這是怎麼回事……？

當我困惑佇立一旁，楊突然大聲喊叫：

「進水了——！」

「不會吧？」

「雖然只有一點點，但是海水正從船底灌進來。船恐怕到早上就會沉沒！動作快！總之先到船頭去再說！」

當我們相視點頭時……

不知道從哪傳來少年的慘叫聲。

我們朝著發出聲音的方向全力奔跑。

轉過轉角，便到達被燈泡照亮的電梯大廳。因為又向下一層樓，走廊、房間都顯得陰暗而粗糙，可是只有這個地方亮得很不尋常，令人感到眩目。

聲音應該是從這個地方傳出來的，但卻沒有看到半個人影……

我疑惑地巡視四周，突然不知道從何處出現一隻強壯的手臂，抓住我的頭髮用力往後拉。

我不由自主大叫，耳邊聽到手臂主人的聲音：

「救我！」

……是曾經聽過的德語口音。

回過頭，看到手臂從電梯的鐵柵欄中伸出——鐵柵欄裡是德國少年和奧地利少年。接近成人的高大身軀不停顫抖，手臂伸向我。

「怎、怎麼了!?」

「救救我！門、門被鎖住了……！」

我把背上的麗放在地板上，靠近電梯，喀啦喀啦搖晃鐵柵欄，發現是從外面上鎖的。少年們聚集過來，問他們發生什麼事，只見關在電梯裡的兩人驚魂未定，開始語無倫次：

「有鬼跑出來……！」

「搶走我們的槍之後，把我們丟在這裡……」

楊回頭大叫：

「對了！艾利克斯，槍！」

我掏出槍，電梯裡的兩個少年發出驚恐不已的叫聲。

「閃遠一點！」

我大叫，瞄準鐵柵欄上的鎖扣下扳機。

激烈的衝擊從雙臂傳到肩膀，槍聲震耳欲聾。

第一發沒有打中，立刻發射第二發。

——喀鏘！

隨著一個低沉的聲音，壞掉的鎖從鐵柵欄上掉了下來。

「太好了……！」

我打心底鬆了口氣。電梯裡面的兩人，表情也顯得放心許多。

楊立刻伸出手，急著想要打開鐵柵欄——

就在這時……

嘎嗟嗟嗟——！

電梯突然開始下降。

少年們的表情因為恐懼而僵硬。雙眼圓睜到眼球幾乎快要飛出來，朝我伸出粗壯的手臂，再度抓住我的頭髮。我不由得大聲喊痛。他們也跟著慘叫。

啪、啪啪……！

這是一撮頭髮被連根拔起的聲音。一陣疼痛在頭皮上遊走，眼前一陣閃爍。

兩名少年在鐵柵欄另一邊的臉孔因恐怖、憤怒而變得僵硬。在一陣搖晃之後，他們就隨著鐵柵欄急速下降，墜落無底深淵。

震破鼓膜的尖叫越來越遙遠。

然後……

遙遠的船底傳來「嘩啦……」的水聲。

電梯被破壞了……雖然想讓它升上來，但是卻一動也不動。

我和楊兩人想盡所有方法想要啟動電梯，到最後卻只能敲打、哭泣……美國少年輕輕把手放在我的肩上。

我哭著回頭，只見他靜靜搖頭。

在他的背後，法國少女也無聲啜泣著。

「他們兩個已經……死了。」

「怎麼會……！」

「超過十分鐘了。水早就湧進來……他們應該……溺死了。」

義大利少年如野獸般咆哮，不停搥打牆壁。

3

船的浸水狀況越來越嚴重，總不能一直待在原地。我揹起依舊昏迷的麗，跟著剩下的夥伴一起往前走。

一邊前進，一邊小心確認有沒有陷阱。再次被牆壁阻擋，又回到樓梯處……再往下一層樓，照明更暗，走廊也更粗糙。水聲越來越接近。

這時，楊像是自言自語似的喃喃說道：

「……他們說是從外面被鎖住。」

我在旁邊點點頭：

「嗯，還說是鬼幹的好事。」

「究竟是怎麼一回事……？」

「誰知道。」

楊繼續說：

「我們找到的陷阱，全都是無人的機關。可是剛才卻不一樣——除了我們之外還有別人。躲在這艘船上伺機攻擊。不論怎麼想……只有這種可能。」

我們在只能勉強看到腳邊，相當陰暗的走廊上，繼續往前走。
沒有任何人發出聲音，只聽到我們自己的腳步聲。
這時……
我背上背著的麗：
「嗚嗚……嗯。」
「麗？妳醒過來了嗎？」
麗睜開眼睛，疼痛不堪似的皺眉。然後看著我，擠出虛弱的微笑向我道謝。
醒來之後，麗依然繼續讓我揹著，可是卻突然大叫，開始掙扎。我急忙將她放在地上：
「怎麼回事？」
麗瘋狂地指著自己的脖子。
「啊……！」
項墜不見了。
心型琺瑯項墜——是麗的護身符。
楊注意到之後，安撫她說：
「現在不是為這種東西吵鬧的時候。再買個一樣的就好了——如果可以活著回去的話，想做什麼都可以。先忍耐一下吧！」

麗漆黑的眼瞳閃著淚光，不斷搖頭。

楊置之不理，用自己的襯衫幫麗鬆開的傷口重新止血。

看來會花上一些時間。

突然回想起自己剛剛在船上醒過來時，麗為我擔心的溫柔笑容。想到身旁這位曾經細心照顧我的少女，我突然感到不安。她為了鼓勵我，還曾經抓著我的手觸摸她最寶貝的心型項墜。

她現在一臉蒼白，默默忍耐著疼痛。

——我突然站起身來，楊以不可思議的眼神抬頭看我。

「怎麼了，艾利克斯？」

「呃，我想要……去撿回來。」

「咦……？」

「項墜——我想八成是掉在修伊倒地的地方。從他們在為刀子起爭執的時候開始，好像就沒看到麗的項墜了。」

「……艾利克斯！」

楊阻止我：

「太危險了。還是留下來吧！我們千萬不能走散。」

其他的年輕人也異口同聲阻止我：

「沒錯。不過是個項墜，再買就有了！」
「太危險了。還是一起行動吧。」
「現在還是不要輕舉妄動比較好……」
我低頭看著麗失去血色的臉。我不知道這樣下去，她的體力是不是能夠撐到最後。我希望最少能夠找到項墜，親手交給她。彼此的語言不通，無法用言語來表達我對她的謝意。
「不過就在樓梯的平台而已，很近的。我立刻就回來。」
我硬是說出我的決定，然後跑開。
只聽到楊他們繼續喊叫我的聲音。

爬上漆黑的樓梯。
手持楊從電梯裡拿出來的手電筒，照亮腳邊往上爬。特別小心別踩到看起來可能是陷阱的東西，一步一步往上走。
在手電筒圓形燈光的照亮下，樓梯的白色磁磚發出冷冽光輝，我一邊壓制不安一邊前進。分開之後，是不是就再也見不到剛才在一起的夥伴了呢？自己是不是就要獨自一人在這艘船上徬徨呢？一想到這些，眼角自然就浮起眼淚——為了趕走消沉的念頭，一步一步繼續往上走。
當我心想快要到達修伊倒臥的地點時，突然踏到一個圓形有彈性的東西，差點跌倒。

monologue 3

瞬間全身發冷，以為自己中了陷阱。慌忙照亮腳邊，原來並不是陷阱——是個網球。

怎麼會掉在這裡呢？我覺得不可思議，將它撿起來。

繼續爬上樓梯——

然後……屏住呼吸。

屍體消失了。

明明應該是修伊倒臥的地點，可是卻空無一物。

甚至沒有留下任何東西可以看出那裡曾經有具屍體，就這麼毫無形跡地消失了。

我驚訝地坐倒在地。

手電筒的光線跟著移動，發現帶有光澤的粉紅琺瑯心型項墜就掉在我腳邊。這就是麗尋找的寶貝項墜。看到它的瞬間，好像和麗有心電感應似的，突然鬆了一口氣。

把它撿起，緊緊握住。不知為何淚流滿面。

屍體到哪去了？

是誰，又是為什麼要把屍體藏起來呢？

除了我們之外，真的還有其他人在這艘船上嗎……？

第四章「野兔」與「獵犬」

1

走在走廊上的五人，沉默無語。

維多利加和一彌走在最後，並排而行。他們前面是身穿紅禮服的茱莉・蓋爾，每前進一步，烏黑長髮就左右搖擺。

聶德・巴士達走在最前方。而莫里斯則是獨自離群快步往前。

地上的紅地毯柔軟蓬鬆，一腳踏入便包住整個腳掌。豪華歸豪華，但卻寸步難行。油燈也是屬於裝飾繁複的豪華設計，照亮五個人的身影。

「這、這是……!?」

聶德停住，說不出話來。

所有人都停下腳步抬頭看。

走廊上的黑色牆壁擋住朝著船頭方向前進的五人——這一樓所有走廊都被相同的牆壁堵死，無法再往前進。

莫里斯「嘖！」了一聲：

「和十年前一樣……」

聶德和茱莉追問，他一臉陰沉開始說明：

「如果野兔很容易就能到達無線電室就太無聊了。所以必須讓他們觸動陷阱，找到武器互相殘殺，減少數量才行。」

「……為什麼？」

「…………」

對於茱莉的問題，莫里斯並不打算回答。

沉默之後，混著嘆息：

「必須再往下走三層樓才行。下面一層和再下面一層，應該都有相同的牆壁堵死走廊。如果這艘船是……〈QueenBerry號〉的話。」

五人回頭尋找樓梯，再度回到走廊。

一彌突然看著身旁的維多利加。

因為他聽到沉默不語的維多利加微微嘆了口氣。一彌不禁擔心起來，窺視她的側臉。

像個精緻洋娃娃的少女，蒼白的額頭上浮著汗珠。

「……維多利加，累了嗎？」

「……」

維多利加沒有回答。

「腳痛？還是肚子餓？啊！是包包太重了吧？我來幫妳拿。」

「……不用。」

「不好意思嗎？這完全不合妳的個性啊！」

「……久城，你每次都愛多管閒事呢！」

維多利加抬起臉。

像個鬧彆扭的小孩般鼓著臉頰。或許和本人的意圖相差十萬八千里，但那模樣看起來就像是頰囊塞滿栗子的松鼠，可愛極了。

「……不知道為什麼就是一肚子氣。」

「哪有!?這哪算多管閒事！我只是擔心妳而已。妳這個好強的彆扭小鬼！」

「彆扭的是你！」

一彌大叫：

「是妳！」

然後硬是把維多利加的包包搶過來，再用空著的另一隻手拉住她的小手，開始往前走。

茱莉好像很驚訝似的盯著他們，聶德則是裝作沒看到。

——一邊走著，一彌跟維多利加交談。他的腦袋裡面浮現各種疑問，非得找個人訴說。

「維多利加，我問妳，這到底是怎麼回事啊？」

沒有回答。

偷偷瞄一下她的側臉，看來她的確聽到一彌的話，於是安心地繼續說下去：

「據說和這艘船一模一樣的〈QueenBerry號〉上面，十年前發生了什麼事？和我們年齡差不多的年輕人，為什麼會被帶到那艘船上？還有船裡的狀況又是如何？而在十年後的現在，大費周章打造這麼一艘複製船，重現當時的狀況，又是為了什麼？」

維多利加沒有回答，只是在一彌身邊緩步前進。

一彌繼續說：

「究竟是誰，又是為了什麼做出這種事呢……？」

一彌回想起大餐廳裡的晚餐。

那個昏暗的房間。

搭乘小船離開的帶路人。

小船上的橘色油燈，在漆黑一片的海上越來越遠。

以及在大餐廳就座的十一位客人。被攙在菜餚裡的安眠藥迷昏之後，移動到休息室，可是卻多了一個人。

有個晚餐沒出席的人混了進來。

這個人就是這齣血淋淋重現場景的首謀嗎？

「……可以確認聶德的確在座位上。」

「因為他讓你坐在膝蓋上。」

維多利加終於開口了。

「嗯、嗯……這麼說的話，茱莉或莫里斯就是第十二位客人囉。從年齡上來看，年輕的茱莉比較可疑。因為十年前她應該是十來歲而已。和被帶上船的年輕人年紀差不多。」

一彌陷入思考。

「但是，這麼推論的話，為什麼聶德也收到邀請函？莫里斯似乎就是當時設計他們搭上船的那夥人。所以才會被找來，打算將他殺掉。不過聶德呢？他的年齡在十年前的話也是十來歲。應該屬於被害者這邊……才對吧。」

「久城，你怎麼從剛才到現在，淨是說些理所當然的事情啊。」

維多利加一臉厭煩地說道。一彌頓時洩氣，又忍不住想要反駁：

「因為還有很多事情的謎團都還沒解開嘛！」

「……」

「啊，對了！聶德應該也是犯人吧？和茱莉是共犯……不對，這樣的話他不可能動作慢吞吞的，兩人早就聯手把莫里斯給殺了才對。」

「哼，又是理所當然的事。」

「嗚，可惡……啊！這麼說來，我們搭上船之前的……占卜師羅珊殺人事件。受邀請到這艘〈QueenBerry號〉來的其中一人，羅珊遭到殺害，而嫌犯女傭逃亡……」

「是啊，久城。」

「呃……也就是說……」

「也就是說？」

「嗯……我不知道。」

「你的混沌還真是無聊透了。」

維多利加一副索然無趣的模樣喃喃說道。

一彌鬧起彆扭，再也不說話，只是牽著她的手往前走。

五人總算來到樓梯處。白色磁磚閃閃發亮的樓梯，不知為何沒有燈光，一片漆黑。

旁邊則是燈泡大放光明的電梯大廳。連鐵柵欄裡面都很亮，看起來令人覺得安心多了。一彌指著電梯，問問看要不要搭乘。聶德不知為何臉色大變加以反對：

「走樓梯吧！樓梯比較安全……我覺得。」

一彌和維多利加對望了一眼。

維多利加聳聳肩：

「……可能吧。」

五人魚貫而行，沿著黑暗的樓梯小心翼翼往下走。

雖然是慢慢往下走，但就在覺得已經走很遠的時候……

——噠！

一個短促的聲音響起。

莫里斯發出含糊不清的叫聲。

剩下的四人不禁感到心臟被揪住似的跳了起來。

「你、你怎麼啦，大叔!?」

「這、這、這個……！」

黑暗中，所有人盯住莫里斯顫抖的手指前方。

——弩槍的箭插在莫里斯臉邊的牆壁。所有人四處檢查之後，發現磁磚地板上有個不起眼的按鈕。應該是莫里斯不小心踏到它吧？

莫里斯緩緩轉動眼珠，盯著箭不放……

「開、開什麼玩笑！你們竟然想要暗算我……………！」

他滿臉憎恨盯著維多利加等人。

「大叔，你不要緊吧？」

聽到聶德的聲音，他更加激動：

「什麼不要緊。這八成是你們當中的『野兔』，想要殺死我所設下的陷阱吧!?不對，搞不好是你們所有人串通好打算要殺掉我！」

「大叔，別再鬧了。」

茱莉一邊皺眉，一邊把玩心型項墜：

「如果是這樣，當初大叔要坐上救生艇時，我就不會阻止你了。請你別再胡言亂語。」

兩人互瞪。

在充滿緊張感的寂靜中，一彌以悠閒的語調，對著旁邊的維多利加開口：

「維多利加，妳也要小心陷阱才行。我也會連妳的分也一起注意……」

聽到認真又平穩的聲音，茱莉嚴厲的表情也和緩下來。但在聽到維多利加回答的聲音之後，又轉為詫異的表情。

因為維多利加自信滿滿地回答：

「我用不著擔心這個問題。」

一彌愣了一下。三個大人也被這句話所吸引，回過頭來。

聶德走近，以嚇人的表情說：

「喂！妳這是什麼意思！」

不論是聲音或態度都充滿壓迫感，但維多利加絲毫不畏怯，以一如往常的冷靜聲音說：

「這艘船用來殺大人的，所以我不會有事。」

「怎麼可以這麼說……陷阱可是不長眼的呀？要是不小心開門、踩到、摸到的話，就連妳這種小女孩也會……」

維多利加偏頭微笑，看起來就像天使一樣。

「所有的陷阱都是按照大人的身高設計的。以身高來說，正好可以貫穿一百七十公分到一百八十公分左右的腦袋。」

「啊……！」

一彌大叫。

……的確是這樣沒錯。一開始殺害男子的弩槍，以及剛才飛出來的箭，都是設定在這樣的高度。

也就是說……

一百四十公分左右的維多利加即使觸動陷阱，也只會從她的頭頂飛過。

對著一臉震驚的一彌，維多利加像個是把所知之事照實說出的天真小孩般：

「久城，我看你最好彎一下腰比較保險。要不然腦袋沒事，卻可能從你的頭頂削過。」

「削、削過……好可怕啊!?」

一彌以身體前屈的姿態往前走，抓著維多利加的手甚至比剛才更用力，並且從旁觀察她的臉色，是不是出現疲憊的模樣。

走在他們後面的茱莉，則是一直盯著他們。

樓梯還是一樣暗，因為必須一面警戒陷阱一面慢慢走，所以好像花了很長一段時間。

「喂……」走在後面的茱莉找一彌攀談。

「年輕人……你倒是出乎意料地溫柔呢！」

一彌抬起頭。

她是指什麼呢？一彌偏著頭，茱莉瞄了一眼一彌身邊的維多利加：

「竟然那麼拼命保護女孩子。」
聽起來有如取笑般的口吻，讓一彌不禁臉紅。
「沒、沒有啦，我……而且她也是嫌東嫌西的啊。」
「那是她在撒嬌。」
茱莉隨口回答。
可是一彌完全不同意。
「撒嬌？」
「她可是女孩子呢！雖然態度不太好，但我認為她非常信賴你。不但放心把包包交給你，而且絕對不放開牽著你的手。」
一時之間，一彌的神經全部集中在手上。
的確——雖然抱怨個不停，維多利加還是緊緊握著一彌的手。的確有點信賴自己吧？或者這表示維多利加對現況感到不安？
雖然從她的態度、語言感受不到絲毫的不安，但是心情卻好像從握著的手傳了過來。一彌不由得用力回握她的手。
「年輕人，我可以和你打賭……像她這種類型的人呢，如果不是真正信賴的對象，是絕對不會把包包交出去的。」

「不過我在旅行前，曾經擅自打開她的旅行箱減少行李，還為此吵了一頓……」

「這種事情要看對象，某些人就是絕對不可原諒。如果對方作出這種事，根本不可能跟他出門旅行，立刻掉頭就走。」

「唔……」

一彌陷入沉思。

然後，羞澀的反駁關心自己的茱莉：

「可是，我只是……覺得要對於事態演變負起責任而已。」

「……哎喲，你是犯人嗎？」

「請別開玩笑了！我不是這個意思……」

一彌一臉陰霾。

因為將維多利加帶出門旅行的人正是自己。一彌所知道的她，總是待在大圖書館的植物園裡，國王為了和情婦幽會所建造的舒適頂樓房間。閱讀各種書籍，偶爾傾聽世俗雜事，然後馬上解決的維多利加，就像是聖瑪格麗特學園的精靈一般不可思議的存在。

她的每一天，應該是在不可思議的事件與謎團中度過吧？

可是，自己卻邀請她出門旅行，還把她帶到這麼危險的地方來。萬一維多利加發生什麼危險，全部都應該歸咎於自己。

她所擁有的長處，就只有頭腦而已。

她的身軀是這樣嬌小纖弱，雖然自己也不過是個沒什麼用的小孩子，但是至少也要保護維多利加的安全。

一彌心想……就是因為這樣的個性，所以才會被稱為死腦筋的老古板吧？但是嚴以律己也嚴以待人的父親與兄長們，也是這樣訓誡一彌：「要保護比自己弱小的人。」、「就算自己也很弱小，還是要拼命保護別人。」

說真的，總覺得自己辦不到，與這樣偉大的情操還有遙遠的距離，做不到的事情就是做不到。但是，卻又不願意向茱莉說出洩氣的話——一彌似乎變得有些賭氣……

不知道是不是發現一彌的想法，茱莉以開玩笑的口吻說：

「哎喲！年輕人，真是了不起呢！」

「別這麼說……我雖然沒用，但還是帝國軍人的三男。」

「還不如說是個男孩子吧！」

茱莉嗤嗤笑了。

看見一彌臉紅的表情，茱莉很高興地說：

「我喜歡這樣的人。我們要一起活著回去喔！」

茱莉沒有什麼特殊含意的話，卻讓一彌覺得很丟臉，不知該怎麼回答，只得閉口不語。

——好像終於到達目的地樓層，前面的聶德像是放心地喊著「到了！」，一彌也鬆了口氣，對著身旁的維多利加說：

「再忍耐一下就到了。」

細心說明。

可是，就在這時……

跟在聶德身後的莫里斯發出絕望般的叫聲。

一彌與茱莉，很快互看一眼，也跟著走下樓梯。

腳一踏下樓梯的最後兩階，就發出嘩啦嘩啦的水聲。鞋子也清楚感受到劃開水面往前走的感覺。蒼白的燈泡，照出眼前狀況。

是海水。

浸水的情況非常嚴重，混濁的海水已經迫近到膝蓋。

這一層樓都是倉庫和機械室，看起來和上面樓層的豪華景色大大不同，就像是在巨大的水管裡一樣。走廊看來單調又不衛生，骯髒的水面激起小小的波浪，「嘩啦嘩啦」地搖晃——簡直是絕望的景象。

聶德與莫里斯像是洩了氣一般，互相對望。

然後，莫里斯率先大聲叫嚷：
「這是怎麼回事！真是夠了……這麼一來不就到不了船頭了嗎!?」
聶德也抱住頭，低聲發出呻吟。
這時……
較慢走下樓梯的茱莉，不顧水淹到膝蓋，獨自步上走廊。兩個男人目送她的背影——這時
茱莉突然回過頭，朝著一彌說：
「還在做什麼!?快點過來啊！再不快點就來不及了！」
「啊……是！」
一瞬間猶豫了一下，但一彌還是用力點頭。
他身體往前屈，朝著維多利加說：
「上來！」
維多利加瞬間露出好像鴿子被豆子打中的表情。
遠處茱莉大叫：
「快點上去啊！」
「快點快點！趕時間呢！」
維多利加發出「嗚、嗚嗚……」的低吟，僵硬地趴在一彌的背上。

像是揹著小狗或小貓一般輕巧的感觸。維多利加雖然滿心不願，但是一趴上去，便以纖細的手臂繞著一彌的脖子，用力緊緊抱住。

「好痛！維多利加，勒得太緊了啦！」

「……忍耐一點！」

「不要！會被妳勒死啊！」

在爭執當中，一彌依然在水中前進。

身後傳來莫里斯與聶德跟了上來的聲音。

——又過了不久，傳來一馬當先的茱莉充滿喜悅的叫聲：

「太好了！這一層樓的走廊沒有被堵住。大家快從船頭的方向去！快點往上走！上樓梯！」

聽到她的聲音，一彌加快腳步。維多利加或許是因為高興，在背後往後仰，兩隻小腳蹬個不停。一彌害怕她會因此掉進水裡，只得雙手用力撐住她。可是維多利加完全不知道一彌的辛苦，還是高興得不停搖腳。

總算來到往船頭方向的樓梯，為了避開陷阱，一行人小心翼翼地往上走。

莫里斯唸唸有詞：

「事情竟然變成這樣……裡面一定有『野兔』。絕對不可大意……！」

大叫之後，突然往上一層樓的走廊飛奔而出。

和一開始所在的樓層相比，這裡還是屬於較下方的樓層。因此照明昏暗，走廊所鋪的地毯也顯得破舊粗糙。原本應該是深紅的顏色也暗沉發黑，人們經常走過的中央部分也有點稀疏。油燈也是沒什麼裝飾設計的實用品，木板牆壁上還有很明顯的木節。

莫里斯向前奔跑，打開離他最近的房門。那是一間三等客房，從地板到天花板之間有著四層床鋪。打開一扇又一扇門，好像漫無止境似的……莫里斯似乎在尋找某個東西。

聶德被嚇了一跳：

「大叔，你在做什麼？」

「如果這艘船是當時箱子的再現，應該就在這附近才對。對……找到了！」

莫里斯的側臉因為相信自己獲得勝利而扭曲。

聶德正打算湊近——

「啊!?」

驚叫了一聲，急忙停下動作。

轉過身來的莫里斯手中，握著一把手槍。用兩隻顫抖的手支撐著發出黑暗光澤的金屬。

聶德大叫：

「啊哇哇！」

然後躲到維多利加和一彌的身後。莫里斯不懷好意笑著，把槍口對準他們。

「這艘船裡藏著許多武器。抽屜、花瓶裡、地毯下……到處都有。這也是其中之一。」

「為什麼……？」

後方傳來茱莉的聲音。

她以哀傷的表情看著莫里斯，顫抖著手，好像馬上就會滴下眼淚。莫里斯回看她，臉上毫無表情。然後他以理所當然的驕傲態度說：

「為了讓他們自相殘殺。」

「怎麼說……？」

莫里斯聳聳肩：

「他們當中有人因為觸動陷阱而死亡，還有人找到武器，以武器互相殘殺——這些都在計畫之中。因為如果太多人生還，就沒有意義了。」

「這究竟是怎麼回事!?」

「你們沒有必要知道。而且……」

莫里斯微笑。

「還有『獵犬』。」

「……『獵犬』？」

「是啊。」

莫里斯閉上嘴不再說話。

然後……慢慢扣下扳機。

喀嗒——！

子彈滑出彈匣，發出危險的聲音。

「……『野兔』去死吧！」

一彌發現槍口正對準維多利加，驚聲說道：

「等……莫里斯先生，你為什麼這麼做!?你剛剛不是才說過，維多利加是正牌貴族，所以不是犯人嗎？」

「事情變成這樣，我也顧不了那麼多了！還好有六發子彈，把你們全部殺掉，我就可以一個人安全逃出這艘船！」

「什麼……!?」

「反正這艘船很快就會沉了。所有的證據都會沉入海底……就和十年前一樣……！」

一彌擋在維多利加前面。

正對著槍口，全身冒出冷汗，不知何時腳已經開始喀噠喀噠抖個不停——可是一彌還是咬著牙硬是擋在維多利加的前面……

後面的維多利加卻一點也不緊張，還戳著自己的背：

「久城，你……在做什麼啊？」

「什、什麼!?我、我、我、我在保護妳、妳、妳不被子彈射中啊！」

「可是你會死耶？」

「或、或、或許會。可是這樣的話，妳、妳、妳就不會死、死啊！」

「話是這麼說啦……」

「是、是我邀妳來的。要讓妳活著回去才行。我身為帝國軍人的三男，必須負起責任。」

一彌的腦海裡浮現儀態端正的威嚴父親，以及與父親非常相像的兩個哥哥。過去還曾經在晴朗舒適的午後，被帶到附近常去的道場……然後一彌突然被大人給摔了出去。沒有勇氣站起來面對對方，只能趴在道場的榻榻米上，明明是個男生卻差點落淚。那種悔恨、難過，只覺得自己真是窩囊……一彌想起兩個哥哥失望地俯視自己的表情。

「因為是老么，所以被寵壞了吧……」

當時，道場裡不知是誰如此喃喃自語。應該是旁觀的大人之一吧？那句無心的耳語，一直留在一彌心底，成為無法消失的痛。

「所以，維、維多利加……」

以認真的表情看著身邊的她。

這時維多利加……

「──────！」

翡翠綠的大眼睛睜得圓圓的，仰望一彌。

一彌這才注意到維多利加一臉震驚。之前每次向她報告什麼怪異事件時，她總是高興地解開那些謎團──也就是「混沌」。在那時候，她的臉上也會稍微露出驚訝的表情。

但是，現在維多利加臉上的表情，和那些時候完全不一樣。

純粹只是驚訝的表情，好像找到什麼稀奇的東西，然後專心觀察的模樣。接下來頗有感觸地喃喃說道：

「久城，難不成你是個……好人？」

「什麼意思？是讚美嗎？」

「不是。」

「那是在取笑我？」

「……這怎麼說呢……只不過是單純指出事實而已。你幹嘛生氣？」

「嗚嗚……」

就在一彌怒氣快要爆發的時候……

──砰！

槍聲響起。

（被打中了嗎……!?）

一彌立刻緊緊抱住維多利加，縮著身子，閉緊眼睛，發出不成聲的慘叫。

從出生到現在的所有事情——看著優秀兄長的日子、覺得自己不能輸給他們而拼命學習、決定留學踏上旅途、來到聖瑪格麗特學園之後的日子、與維多利加那該說是命運注定，或是無可挽回，總之是衝擊性的相遇——就像走馬燈一般浮現又消失。

（……咦？）

一彌沒死。

戰戰兢兢地睜開眼睛，看到維多利加很不情願地扭著身子。

「……好難過。你想殺了我嗎？」

「喂！」

雖然不滿她竟然對救命恩人說出這種話，但雙手還是放開維多利加纖細的身體。

莫里斯仰倒在地上，眉間有個黑色小洞。一臉驚訝的表情——已經斷氣了。

回頭一看，只見茱莉拿著小型手槍單膝跪地。紅禮服的裙襬敞開，可以稍微窺見令人眩目的白皙長腿。

毫無表情放下槍，站起身來。

像是要解釋什麼：

「……我也在牆壁油燈背後找到武器。因為不知道原因，所以我也沒說。」

聶德一臉驚訝地接近莫里斯的屍體，拿起他緊握的手槍，朝著樓梯下方的海水丟去。

——嘩啦！

水聲之後，手槍沉下，咕嘟冒起一個危險的泡沫。

聶德轉向茱莉說：

「妳也把槍丟掉。」

「什麼……！」

「大家本來就已經疑神疑鬼了，還發生這種事，才會造成自相殘殺。我把槍丟了，妳也把槍扔了吧……」

「……可是……」

「還是妳有持有武器的理由？」

茱莉「嘖！」了一聲——

把小型手槍丟到樓梯下，發出嘩啦的水聲。

再「嘖！」了一聲：

「……走吧！到無線電室去。」

開始爬上樓梯。

袋子從她的手中滑落。

維多利加彎身撿起——一彌偏頭懷疑了一下，維多利加竟然會撿起別人掉落的東西，表示她應該懂得親切待人吧？

不過看來並不打算有禮貌地還給人家，維多利加把袋子朝茱莉丟去。袋子輕飄飄飛過空中，茱莉接個正著。

接過袋子，茱莉又繼續爬上樓梯。

三人跟在她身後。

2

一彌、茱莉和聶德一步一步走上樓梯，身上的溼衣服滴答滴答，不斷掉落水滴。

唯一沒有沾溼衣服的維多利加，可以看得到衣服上高級蕾絲、花邊和下方的絲襪都沾滿灰塵，變得污黑不堪。

一彌斜眼看著，心中湧起不知該怎麼形容的愧疚，還有丟臉的感覺。維多利加總是在大圖書館的植物園裡，悠然地翻閱書籍。讓這麼一位神聖不可侵犯的少女困在快要沉沒的船上，還害她弄得一身髒……

握住一彌的手，維多利加以充滿疑問的表情抬頭望著這邊：

「……有件事我從剛才就一直很在意。」

「什麼事？」

「久城，剛才你大叫帝國軍人的三男……」

「是啊。」

「三男有什麼含意嗎？」

「…………啊!?」

一彌生氣地甩開維多利加的手。

看到他發怒的臉孔，維多利加嚇了一跳：

「你、你為什麼那麼生氣啊？」

「呃，妳從剛才就說什麼好人、什麼三男的。這是故意挑釁嗎？」

「不、不是的。我只是單純指出事實而已。我只是把它當作混沌之一而已啊。」

「我告訴妳，雖然是三男，可是我的成績卻是最優秀的！」

兩人的對話完全搭不起來。

「……在你的國家裡，優秀的三男可以變成長子嗎？」

「不會……我只是不服輸而已。哥哥們總是受到禮遇，我為了跟他們抗衡才拚命念書。」

可是，就在附近道場被摔出去的那天，所有努力化為泡影……至少一彌是這麼覺得。也因為如此，當他就讀的士官學校詢問他是否願意到蘇瓦爾留學時，一彌便立刻接受。溫柔的母親和姊姊等家人根本來不及阻止，就辦好手續，打包行李上船。簡直就像逃離國家、家人，甚至自己……

所以一彌現在才會在這裡……

「唔……？」

維多利加點頭。

在一段沉默之後，又以唱歌般的悠閒聲音說：

「這個國家的貴族也一樣。只有長子能夠繼承家業。」

維多利加的臉再度變成不可思議的表情，抬頭看著一彌，以觀察某種奇物的模樣說：

「不服輸嗎？」

「……嗯？」

「久城，你不僅是個好人，而且還很直率。」

「什麼?」

「會從你嘴巴說出不服輸,就知道你的靈魂單純而美麗。」

「這算稱讚嗎?還是用迂迴的方式罵我笨蛋?」

維多利加不可思議地盯著發怒的一彌,然後轉過臉不再說話。偷偷窺探她的側臉,發現她就像是頰袋塞滿栗子的松鼠般,一張臉氣鼓鼓的——那正是她鬧彆扭的表情。

先前這一席話,應該是維多利加以自己的方式讚美一彌,本來是要向用身體保護她的一彌道謝,想要表現出彼此的友情,只不過……

對著一旁叨唸抱怨的一彌,維多利加以鬧彆扭的口吻說:

「真無聊。告訴你,我只不過是指出事實,將重新拼湊的混沌語言化罷了。」

之後維多利加便保持沉默。

一彌則是丈二金剛摸不著腦袋,看著突然變得不高興的維多利加,雖然不知道原因為何,但似乎是因為自己而生氣,一時間不知如何是好。

——四人一言不發繼續上樓。

走在最前頭的聶德還是一樣,在黑暗中繼續拋著網球。就這樣,聶德的身影消失在昏暗的樓梯平台。

下一個瞬間,發出「咚」的微弱聲響。

似乎……聽到一個小小的哀鳴。

一彌與茱莉互看了一下──

「……聶德？」

茱莉戰戰兢兢開口發問。

沒有回答。

一彌接著問：

「發生什麼事了嗎？」

樓梯恢復安靜。

一彌與茱莉再次互看了一下。

接下來兩人一起衝上樓梯，踏上昏暗的平台時，發現那裡有個意想不到的東西。

在那裡……

聶德倒在地上，已經斷氣了。

一彌發出叫聲衝上前去。

屍體的腳朝向這邊，右手被壓在身體下方。左手則是朝向這邊，手掌貼著腰部。

拿起左手確認脈搏。

聶德的脈搏已經停了。

（為什麼!?為什麼……!?到底發生了什麼事……是陷阱嗎？這裡難道有什麼機關？到底是怎麼一回事……）

「……久、城。」

維多利加以粗啞的聲音呼喚著一彌。回頭一看，她露出少見的緊張態度，以打從心底擔心的表情，低頭看著這邊。

「怎麼……？」

「久城，過來一下。」

「等等，他死了。我必須要確認到底是什麼陷阱，究竟是什麼狀況……」

「先過來再說，久城。」

維多利加十分堅持。

一彌對她的說話方式感到有點氣憤：

「維多利加，任性也要有個限度……」

「我好害怕。求求你，到我身邊來……久城，拜託你。」

一彌──愣住了。

單腳跪在地板上，他抬頭盯著維多利加的臉。

她以一向不容抗拒的表情看著自己。就像在說著快點、快點站起來。剛才的台詞——我好害怕求求你到我身邊來——完全不像維多利加的作風。

一彌感到有點問題，然後認定維多利加在說謊。

（什麼害怕，根本是在說謊。而且這傢伙才不可能說出「拜託」這種話。）

他倒吸一口氣。

（原來如此，我知道了……！維多利加只是希望我移動。離開這……聶德的屍體！）

一彌站起來，總算回到維多利加的身邊。

看看旁邊，渾身僵硬的茱莉用兩隻手摀著嘴巴，不敢相信似的睜著眼睛。

「怎麼會、怎麼會……」

小聲自言自語。

「一模一樣。一模一樣。這、和當時一模一樣……！這是怎麼回事!?」

一彌一邊注意茱莉，一邊對維多利加竊竊私語：

「……到底怎麼了？」

「你聽好了，久城。」

維多利加的聲音帶著緊張的氣息：

「我們三人通過樓梯之後，就要躲在上面的樓層。船上應該有武器，最好四處找找。」

「什麼……？」

維多利加浮起僵硬的表情，然後……喃喃地說著謎樣的話語：

「我方三人，對方一人。但是兩個小孩和一個女人可沒有把握贏過一個成年男人。啊～剛才丟掉手槍真是失策……不過現在後悔也來不及了。」

茱莉也小聲回問：

「你們在說什麼？怎麼了？」

維多利加抬起頭。

睜著翡翠綠的眼瞳，眼神充滿不安。

薄而毫無血色的嘴唇動了動，斬釘截鐵地說：

「會被殺掉。」

「什……？」

一彌才說到一半，又閉上嘴。

立刻改變主意，心想就按照她所說的去做。拉著呆站一旁的茱莉，慢慢通過屍體旁邊，穿越樓梯的平台。

維多利加小聲說道：

「……快跑！」

一彌緊緊握住維多利加的手。

這一層樓已經相當接近上方，又是鋪著豪華綿軟的地毯，牆上裝飾著豪華的油燈。衝進最近的房間，那是一間為頭等船客所準備的圖書室，房裡有著亮晃晃的水晶吊燈與牆邊整排的奢華書櫃。一面留意陷阱，徹底搜查書櫃與抽屜，地毯下方。

一彌在櫃子抽屜裡找到兩個小型手指虎，馬上戴在雙手上。然後回頭看著茱莉——她手握一把大型拆信刀，正在聳肩深呼吸。

眼光相對。茱莉把食指貼在嘴唇示意安靜。一彌也點頭。

——一切回歸寂靜無聲。

一彌可以感覺到心臟的聲音怦、怦……作響，太陽穴也隱隱作痛。

就這樣經過數刻……

什麼事情都沒有發生。

一彌和茱莉保持對望的姿勢偏偏頭。然後一彌轉頭對著背後的維多利加，正打算問：「妳說，這是怎麼回事……？」時……

房門無聲無息地打開。

站在那裡的是——

應該已經死了的聶德・巴士達。

聶德右手握著一把巨斧。
臉上毫無表情，和剛才簡直判若兩人。讓人感覺到圖書室的氣溫好像突然下降。
他的頭朝左右緩緩轉動，首先看到站在牆邊瞪視自己的茱莉，然後慢慢走向茱莉。茱莉一邊揮動拆信刀抵擋高舉斧頭的聶德，一邊朝著一彌他們大喊：
「你們還在做什麼？快逃啊！快點到無線電室求救！」
聽到這聲音，聶德慢慢回頭。
然後發現一彌和在他身後的維多利加。
眼眸有如臉上的兩個洞一般，黑暗而空虛。
可是就在看到維多利加時，卻開始閃閃發亮。
「少女……是『野兔』……！」
「什麼!?」
「既然是『野兔』就非殺不可。因為我是『獵犬』！」
他舉起斧頭，朝這裡飛撲過來。
聶德直接衝向維多利加，一彌一把將她推倒在地，然後朝聶德的頭側用力揮拳。
雖然體格上有著懸殊差異，但是因為戴著手指虎的關係，拳頭有著意想不到的威力。隨著結實的手感，聶德就這麼倒臥在地。

——咚！

茱莉飛奔過來。對著一彌的頭亂摸一通：

「做得好！真不愧是個男孩子！」

「不，我是帝國軍人的……」

「……三男對吧？我們快逃吧！」

茱莉拿起斧頭，三人一起離開房間，合力將走廊上的櫥櫃推到門前，把門堵住。

衝上樓梯，才聽見聶德清醒之後撞門的聲音。

朝著甲板的方向，爬上越來越亮的樓梯。

一彌緊抱著維多利加小小的身體奔跑。維多利加則以看到什麼不可思議的東西似的表情，緊盯著一彌戴在手上，沾有聶德鮮血的手指虎。

茱莉跟在後面，兩手握著斧頭，奔上樓梯。她朝著維多利加，以悲傷的表情說：

「妳為什麼知道……知道他沒有死……？」

一彌正想說現在不是說這種話的時候……看到茱莉一臉蒼白著急的模樣，只得乖乖閉嘴。

維多利加微微皺眉。

然後，以無法想像是在這種急迫狀況的平靜聲音說：

「很簡單。這是不斷湧出的『智慧之泉』告訴我的。」

「維多利加，拜託妳將它語言化，解釋一下吧！」

「唔……」

維多利加勉強點頭。

「很簡單。妳不覺得那種倒臥的方式很不自然嗎？倒臥在地上，右手壓在身體下面，簡直就像不想讓人碰到一樣。左手則相反，朝著我們的方向。就像在說：請按這邊的脈搏。」

「聽妳這麼一說……」

「如果是意外觸動陷阱倒地的話，會是這種姿勢嗎？兩手一起向前伸才是比較自然的狀態吧？你們應該注意到這一點很可疑才對。」

「可是他的脈搏停了啊！這是無庸置疑的。」

「對啊……」

茱莉小聲附和，表情有如死人般蒼白，嘴唇也微微顫抖。然後以自言自語的微小聲量說：

「那個時候……脈搏………的確停了啊。」

「……那個時候？」

「沒、沒有，沒事。小偵探，繼續吧！」

維多利加似乎對這個稱呼很不滿意，以鼻子哼了一聲。

「也是可以讓脈搏暫時停止的。」

「怎麼做？」

「把網球……夾在腋下。」

一彌和茱莉同時「啊！」一聲叫出來。

面面相覷，眨了好幾次眼睛。

「這樣……啊！」

回想起聶德一直拋接網球的模樣。將球夾在左邊腋下，用力夾緊手臂的話……

「脈搏暫時停止，也能讓確認脈搏的人以為他死了。我就是發現這一點才會叫你的。」

「我很害怕快到我身邊來？」

茱莉調侃似的說。

維多利加的臉頰突然泛紅，惱羞成怒開口：

「那不是我的真心話。只是不那麼說，根本叫不動這個帝國軍人的三男。」

「別這麼叫我！」

「哦？那我叫你帝國軍人的優秀三男總可以了吧？」

「……不行！氣死我了、氣死我了！」

茱莉以有點寂寞的眼神，看著即使是一來一往唇槍舌劍，依舊黏在一起不分開的兩人……

3

三人走上甲板。

——天色已經接近黎明，朝陽照亮潮濕的甲板，昨夜激烈的雨勢已經變小，但是仍未停止。海面上依舊暗沉，波浪還是很洶湧。

無線電室就像是孤伶伶蓋在山腰的小木屋，靜靜等待三人。甲板非常滑溜。維多利加好幾次差點跌倒，每次都讓一彌驚慌失措。

就在兩人打算進入無線電室時……

應該跟在身後的茱莉，突然發出尖叫聲。

「哇啊啊啊啊！」

急忙回頭的一彌，看到從後方拉扯茱莉烏黑長髮的男人粗壯手臂。

——那是聶德・巴士達。

茱莉再度發出尖叫。

「不要啊啊啊啊啊！」

聶德・巴士達眼球充血，嘴巴張開，那副模樣簡直就像是小孩在惡夢裡看到的邪惡怪獸。茱莉的脖子彎曲到極限，發出垂死掙扎般的哀號。手上握著的斧頭也掉落在甲板上。

聶德將茱莉無力的身體丟在甲板上，大步走向這邊。

「維、維多利加，這邊……！」

一彌硬是拖著因為害怕而動彈不得的維多利加往前跑。好幾次差點在潮濕的甲板上滑倒。

……打開無線電室的門。

把維多利加塞進去，準備把門關上……這時維多利加卻伸出小手，抓住一彌。

「維多利加，妳待在這裡！利用無線電呼救！」

「久城，你呢……？」

「我要想辦法擋住那傢伙才行。要不然妳會被他殺掉！」

「久城……」

「是我把妳……」

一彌看著一步步接近的「獵犬」聶德，即便全身顫抖，還是繼續說：

「是我把妳帶到這裡來的。就有讓妳平安回去的責任。」

「——才不是！」

維多利加以顫抖的聲音大叫。

她的表情看起來非常痛苦。明明有話想說，卻找不到可以表達的言語……像是第一次發現遇到這種狀況，維多利加幾次張開嘴，卻找不到適當的言詞，又枉然閉上嘴。

好不容易，維多利加總算找到自己想說的詞：

「……是我自己想來的。是我找到邀請函，硬是要你……」

「才不是。都是我造成的。」

「拜託你按照邏輯來思考，到底是誰的責任好嗎？」

「這、這和邏輯沒關係！」

一彌急得跺腳。維多利加也學他直跺腳，把地板踩得吱嘎作響。最後一彌只得說：

「如果我不能把妳救出去，身為帝國軍人的三男……」

一彌突然感到「帝國軍人的三男」就好像是束縛一般……而且怎麼做都無法把自己真正的心意傳達給維多利加，一切就像剛才的對話一樣牛頭不對馬嘴。

「……不對，我的意思不是這樣——」

一彌努力說出真心話：

「我就是想要救妳。」

維多利加一臉悲傷，卻還有話要說似的張開嘴。

一彌硬是把門關上。

——維多利加臉上的表情，不再是以往那種冷靜又帶點嘲諷，神氣十足的冷淡表情。隔在維多利加與世界之間的透明薄膜已經不復存在，取而代之的是與年齡相符、充滿不安的少女神情。

……一彌使勁關上門。

最後一眼看到維多利加有如迷途小狗般不安的綠色眼眸。

「久、久城……」

微弱的聲音幾乎聽不見。

「久城，拜託你……待在我身邊。我們一起回去吧。我不要自己一個人。久城……！」

下一瞬間，「獵犬」已經撲了上來。

一彌閉上眼睛，砰一聲把門關上。

一彌握緊戴有手指虎的拳頭，擺好姿勢。腦海裡回憶過去在東洋島國時，哥哥教過自己的拳法。當時哥哥非常熱心，而且一彌也對自己的記憶很有自信——因此才能成為好學生。

一彌收緊拳頭，朝著聶德的鼻樑猛力揮出。

聶德臉上吃了一彌一拳，只是踉蹌了一下。接著他張開手掌，從上到下摸過自己的臉孔。

當手掌離開臉部時，聶德的臉上露出怪異的笑容。一彌只覺得毛骨悚然。像要打倒可怕的東西似的，連連揮出更強勁的拳頭，打在聶德臉上，發出悶沉的聲響。從聶德的鼻子裡流出鼻血，他再一次輕輕摸過自己的臉孔，發現手掌沾滿血跡。

就在看到血跡時，聶德抖動單邊眉毛……他生氣了。

突然間聶德用力踩踏甲板，跳了起來，像是要壓住一彌似的從天而降。一彌被彈飛出去，背部撞上甲板，仰倒在地上。聶德就壓在他身上，不斷毆打一彌的臉，一彌只感覺到意識漸漸模糊。

一彌心想，就和當時一樣……在附近的道場，趴在榻榻米上發抖的那一次。

但是……當時等著一彌的，是遠比一彌更強的兩個兄長，可是現在卻不一樣。這裡不僅是遙遠的異國，而且一彌還是和在異國結交的少女兩人單獨在此。萬一一彌輸了，兩人的性命就會輕易地從世上消失——最後等著自己的，只有無情的句點。

一彌咬緊牙根苦撐，看穿聶德動作稍微變緩的瞬間，把自己的拳頭往上揮去——一彌的拳頭狠狠擊中聶德的臉。

不可思議的是，竟然沒有喘不過氣的感覺。一彌心想這究竟是怎麼回事，突然想起原因：最近自己幾乎每天都在聖瑪格麗特大圖書館的迷宮樓梯爬上爬下。維多利加還曾經取笑自己，說這正好可以當作運動……或許自己的體力就是在不知不覺之間變好的吧？

聶德的頭部好幾次因為一彌的拳頭向後仰。但是不論後仰幾次，總是頑固地回到原位。臉上已經染滿血跡，沾滿血的頭部實在很可怕，可是一彌還是不停手。

聶德用力掐緊一彌的脖子，一彌的意識再次變得模糊。

（我不會……我才不會輸給你！）

可是，脖子被成年男子的力量緊緊掐住，體力正在一點一滴的消失。

（維多利、加……！）

一彌睜開眼睛。模糊的視野只看得到白茫茫一片。

咬緊牙根，用盡力氣揮拳攻擊聶德的太陽穴，遭到重擊的聶德，掐著脖子的力量突然減弱。一彌用力喘氣，睜開眼睛。

補充氧氣之後終於恢復視力。一彌站起身來，稍微後退，背靠著甲板的扶手。滿臉是血的聶德也站起來，拖著腳步，搖晃身體追過來。

一彌集中目光凝視他的背後，那裡有個人影。

……那是茱莉。她已經恢復意識，悄悄接近這邊，手上還緊握著斧頭。她和一彌視線相對，把食指貼在嘴唇上示意保持安靜。一彌略點了個頭。

聶德再次朝著一彌揮出拳頭。

在那一瞬間……

一彌靈活地蹲下，從聶德兩腳之間穿過，來到他的背後。重心向前的聶德，頓時失去目標，往前踉蹌了一下。茱莉高舉斧頭，朝著他的背後用力揮下——斧頭就這麼插在聶德的背上。身受重傷的聶德有如野獸般咆哮。

茱莉顫抖的雙手離開斧頭。

同時一彌抱住打算轉身的聶德雙腿，死命往上抬。

「……嗚哇啊啊啊？」

聶德的身體轉了一圈——

背上插著斧頭，頭朝下倒栽蔥般越過扶手，掉落到海面。

一彌急忙跑向扶手，低頭看著海上。

「嘩啦……」高聳的波浪將聶德的身軀吞沒。

浮起許多白色泡沫。聶德・巴士達的身體在海浪拍打之下，從海面上消失。

茱莉也靠近扶手。用力聳肩喘氣：

「年輕人……你救了我一命。」

「不，是妳救我一命。」

「幹得好。」

茱莉淡淡微笑。

白色的波浪微微起伏，接近黎明的海洋相當平靜。兩人沉默看著吞噬聶德的黑暗海洋。

在無線電室裡，維多利加向海上救難隊發出ＳＯＳ的訊號。

小小的身軀孤單端坐在巨大的四方型機械前，就好像有人放個洋娃娃在那裡一樣。但是又可以看到不是洋娃娃的證據——她的臉色蒼白，兩手忙碌地動個不停。

門打開了——維多利加的肩膀彷彿受到驚嚇似的抖了一下。

看到進來的是一彌，瞬間露出……總算放心，差點哭出來的表情。再下一個瞬間，又恢復跟平常一樣平靜又帶著諷刺的貴族表情：

「……照我所見，你應該平安無事吧。」

看到跟著進來的茱莉，不知為何維多利加臉上浮現奇怪的表情。

茱莉並沒有注意到，依然以開朗的語調說：

「已經求救了吧？」

「當然。應該馬上就會趕到。對了，我們現在所在的位置……」

維多利加沉著臉，聳聳肩。

「距離當初出海的港口似乎並不遠。對方感到非常不可思議，怎麼會在這麼接近陸地的地方遇難。想要用無線電和他們說明，還真是大費周章啊。」

然後，維多利加站起身來，慢步走近正要把手指虎拿下的一彌身邊。

就像是精緻的洋娃娃走動一般。但是，又可以看到不是洋娃娃的證據，她的臉上浮現出難以說明的表情——那是安心、擔心以及某種透明的……

維多利加靜默不語，只是緊緊握住一彌的手。

4

三人在保護之下坐上海上救難隊的船，幾分鐘之後——

郵輪〈QueenBerry號〉發出巨大聲響，沉入海底。

那景況著實壯觀。巨大的船隻慢慢下沉，之後只留下一片寧靜的海洋，激起波濤又消失。就好像事情從來沒有發生過一樣。

和〈QueenBerry號〉不同，救難船是艘有著久經使用的甲板，斑駁扶手的堅固船隻。

這時混在救難隊員之間，戴著兔皮獵帽的年輕男子兩人組往這邊飛奔而來——不知為何又是手牽著手……他們是古雷溫・德・布洛瓦警官的部下。

兩人都鐵青著臉，大聲嚷嚷。在確認維多利加平安無事之後：

「太好了！還活著！真是奇蹟！」

「嚇死我了……哇!船沉了耶!真是不得了!」

吵個不停。

——維多利加靠著甲板扶手,盯著海面。有如絲線般柔細,閃耀著亮眼光彩的金色長髮,在強勁海風中飄動。她身上的奢華洋裝,白色蕾絲變得髒兮兮,到處都有髒污與綻線的地方。

一臉孤單的表情。

一彌並肩站在她的旁邊:

「妳在看什麼?」

維多利加突然抬起頭微笑。然後悄然把櫻唇湊近一彌的耳邊,小聲地說:

「我並不討厭美麗的事物喔。」

然後指向映著朝陽的海面,那一波波湧近又退去,猶如燃燒般鮮豔的赤紅波浪。

那是纖巧的手指。

不知何時雨勢已停,眩目的朝陽照耀整艘船。海面被染成鮮豔的紅色,強烈的朝陽,也在兩人身上灑落燦爛陽光。

一彌這才發現,這位小巧玲瓏,有著金色頭髮的女性朋友,還是第一次把她的「喜好」告訴自己。在發現她所說的是一件非常特別的事情之後,一彌不禁微笑。

兩人並肩,靜靜盯著這個景色。

最後一彌小聲說：

「下次再這麼做吧！」

「……下次？」

「嗯！我們兩人一起去看海。」

維多利加不知為何孤寂地笑了一笑。

「下次嗎。」

「嗯？」

「沒、沒事。久城……沒事……」

朝陽慢慢上升。

剛才感受到的紅色光輝，已經變成柔和的光線。

船已靠近陸地。

然後，波浪溫柔拍打過來又退去。

5

茱莉・蓋爾走下船，不想引人注目似的低頭快步，越走越快。

最後變成奔跑，離船越來越遠。

（原來是這樣……）

在心中暗自喃喃自語。

船到達港口，人們魚貫下船。四處可以聽到卸貨的呼喊聲、往來交錯的水手們忙碌的聲音、為了長途旅行而來到這裡的人們、為了送行而聚集的家人、貨物行李運出搬入。港口包圍在早晨的喧噪中。

茱莉巧妙混入喧鬧之中，就此消失蹤影。警方當然要求她必須留下，但她並不打算照作。

只要下了那艘船，自稱茱莉・蓋爾的女人就消失了。混入都市之中，再也沒人找得到。

茱莉混進港口早晨混雜的人群之中，大步離開。

快步往前走的茱莉，並沒有注意到跟在她身後的男人。

手牽著手，邊走邊跳的兩人組——戴著相同的兔皮獵帽。

茱莉喃喃自語。

（原來如此。當時你也是這麼做的，對吧……）

眼瞳中閃爍著淚光。

——回憶有如巨浪湧來。

不，根本不能用回憶這樣漂亮的字眼來形容。

那是惡夢——有如惡夢般的一夜——

（對吧！我們都被你騙了呢，修伊……）

被放進「野兔」之中的「獵犬」。

修伊正是聶德・巴士達——

（當時你也是這麼偽裝成屍體的吧……！）

獨白 —monologue 4—

我把樓梯上撿到的心型項墜塞入口袋，起身走下黑漆漆的樓梯，打算回到原來的走廊。

就在樓梯走到一半時，前方發生意外——

遠處傳來槍聲與數聲尖叫……

我開始奔跑，衝下樓梯，跳進昏暗寒酸的走廊上。

然後因為太過震驚而站在原地——

「……修伊!?」

走廊上的夥伴一一倒地。嬌小的法國少女像要保護麗似的趴在她身上。高壯的義大利少年背靠走廊牆壁，傻愣愣看著肩膀上不斷流出的鮮血。有著一頭卷髮的瘦弱美國少年仰倒在地上發出呻吟。在他的前面，則是手臂流血的楊。

就在這副有如地獄景象的中央，有個瘦削少年——

那是應該死了的修伊。

我不由得發出叫聲，他慢慢轉向這邊，我屏住呼吸。他蒼白的臉上沒有任何表情，那不是他本身的意志，而是被某種巨大的力量控制，就像是一具恐怖的傀儡。

「發現『野兔』！」

他這麼呢喃之後，突然露出微笑。

單手拿著應該是從溺死的少年那裡搶來的機關槍。

也就是說……他們最後留下的那幾句話……

（有鬼跑出來……！）

（搶走我們的槍之後，把我們丟在這裡……）

「鬼」指的應該就是死了的修伊吧？

而現在，夥伴們個個血流不止，倒在地上。

——只覺一股血氣衝上腦門，我取出插在口袋裡的手槍，瞄準修伊的胸膛。

「修伊，把槍放下！」

「……這是我的台詞。」

修伊笑著扣下扳機。

右肩閃過一陣灼熱的衝擊——當我發現自己被射中時，膝蓋已經跪在地上。手握著的槍也掉落地上，額頭冒出冷汗，直打冷顫。

修伊很愉快似的一步一步接近。槍口對著我的頭……

「……住手！」

少年的叫聲響起。

手臂血流不止的楊站起來，擋在我和修伊中間。以憤怒而顫抖的聲音說：

「我不知道你為什麼這麼做……但是別拿槍對著女孩子。」

「是男是女，在箱子裡面根本無關緊要。」

修伊的聲音也在顫抖——因為某種理由而畏怯，眼神不安游移：

「重要的是『國籍』。不是性別。」

「……這是怎麼回事？」

「我只是協助者而已。你們是『野兔』，我是野兔之中的『獵犬』。他們命令我要看情況殺了你們。為了國家，我會把你們全都幹掉！」

「修伊……？」

面對他痛苦的表情與難以理解的內容，我只能疑惑地望著他的臉。修伊舉起機關槍：

「這裡的事就是『未來』！絕對沒錯！」

楊飛撲上去。

他的胸口抵住槍口，修伊扣下扳機——

楊瘦小的身體飛了出去，四散的血珠噴到我的臉上。近距離被子彈擊中的他，胸口開了一個大洞，接著倒在地上，發出難以想像這是如此瘦小的身軀所發出的巨大聲音。血如噴泉般湧出，瞬間就把破舊發黑的地毯染成鮮紅色。

我發出尖叫。接著修伊把槍口朝向這邊。

微笑。

張開薄薄的嘴唇，只有一句話：

「求饒吧！」

我抬頭惡狠狠瞪著他。修伊的表情毫無改變。

「……不要。」

「那就死吧！」

槍口距離我越來越近，我不由得閉上眼睛。

——喀鏘！

扳機扣下，發出小小的聲音。

我睜開眼睛。

似乎是子彈用完了——我急忙撿起掉在地上的槍，用左手緊緊握住。

修伊轉身跑走。

我朝著他的背影，扣下扳機。

槍口發出幾聲震耳的射擊聲，但卻沒有打中。肩上的出血讓我意識模糊。

回過神來，我已經哽咽失聲。一邊扣著扳機，奔流的眼淚擋住我的視線，肩膀因為嗚咽而大力抖動。

我看了一眼死去的楊，站起身來。腳步踉蹌，走到其他夥伴身邊。

美國、義大利少年各自被擊中側腹和肩膀，但子彈似乎只是擦過，當我叫喚他們時，還能勉強站起身來。法國少女則只是因為害怕而昏倒。

他們三人都站起來之後，我再度揹起因為失血而昏迷的麗。她的心型項墜還在我的口袋裡。我心想著一定要交給她才行，再度向前走。

義大利少年似乎想為步伐不穩的美國少年打氣，開始說起話來——他說的是關於故鄉的事——真是不合時宜的話題。

「我就住在市場附近。早上幫攤位看店賺點零用錢。最棒的就是堆滿各種蔬菜的攤位。夏季蔬菜看起來漂亮又好吃，絕對不會輸給任何一個國家……」

美國少年無力地微笑，似乎以此表示他聽到了。

突然，法國少女低聲沉吟——

「為什麼……？」

其他人紛紛回頭。

法國少女以硬擠出來的聲音，對著空中發問：

「他竟然還活著？明明已經死了……」

沒有任何人說話。

因為沒有人知道。

我也發瘋似的不斷在腦海中回想。當時……當時修伊的脈搏的確是停止了啊……

第五章　GAME SET

1

茱莉・蓋爾離開港口，坐上街邊的出租馬車。海風鑽入車廂，黑色長髮迎風飄蕩，飄過她的蒼白臉蛋又被吹開，如此不斷重複。

茱莉獨自坐在搖晃的座椅上陷入思考。

「沒錯……」

不知不覺自言自語：

「當時是我去摸修伊的脈搏……脈搏的確停了，看來就像死了一樣。在那之後，我也一直百思不得其解……這究竟是怎麼一回事。」

窗外的景色逐漸進入市區的喧鬧。在都會的雜沓人群中，茱莉倍感安心。終於完成復仇，而且成功脫身。

車夫以開朗的聲音向她搭訕：

「小姐，今天天氣真好啊。」

但她只當作沒聽到。

車夫不死心繼續說：

「直到剛才都還是陰天呢！今天一定是個好日子。」

「……是啊。」

茱莉低聲回應。

獨自笑了起來。

她想到維多利加，不知不覺充滿笑意。相信這位有點奇怪的美少女本人並不知道，她一瞬間便解開十年來自己心中的疑問。

滾落在修伊倒臥之處的網球。

十年前修伊也是用相同的手法，偽裝成屍體的吧？以這種方式讓大家陷入恐慌，並且成為發生爭執的原因。之後便離開大家，以惡劣的方式奪人性命。

「原來如此……」

用力握緊胸前的心型項墜。

不過自己也漂亮復仇了。把「野兔」關在箱子裡折磨之後殺害的大人、扮演「獵犬」的少年，都已經不在世上，這一切都結束了。接下來，只要逃到遙遠……遙遠的地方去。

——突然，茉莉感到異樣。

出租馬車並沒有按照茉莉的吩咐，駛向可以搭乘列車前往異國的火車站，而是沿著不同的街角奔馳，離車站越來越遠。茉莉急忙朝著車夫問道：

「你要把車開到哪裡去！」

「……小姐，您說要去哪裡呢？」

車夫回過頭來。

——是個英俊的年輕男子。帶著貴族氣息的長相，嘴邊帶著諷刺的笑意。身上穿著就車夫來說太過高級的外套，脖子有條看來相當昂貴的絲質領帶。

「你是什麼人！」

茉莉的視線完全被車夫怪異的髮型——前端固定成流線型，從沒看過的形狀——所吸引，忍不住放聲大叫。

「我是古雷溫。」

「……古雷溫又是誰！」

「名警官啊。」

「什麼?」

車夫用力拉緊韁繩。

馬匹嘶鳴一聲，停下腳步。

在這同時，一陣雜沓的腳步聲沙沙作響，茱莉不禁屏住呼吸。不知何時出租馬車的四周已經圍滿了警察。

四下張望，才發現這裡是警察局大樓的前方。正方形的建築物，裝有整齊的的四方鐵窗。這棟歷史悠久的建築物，外表充滿威脅感，令人聯想到監獄。呈現暗橘色的紅磚牆，似乎一步步不斷往這邊迫近。

茱莉定睛一看。

警察局前站著兩個少年與少女。東方人——自稱是帝國軍人三男的——久城一彌，和被茱莉稱為小偵探，渾身充滿貴族氣質的金髮少女維多利加。

兩人手牽著手，望著這裡。

茱莉聳聳肩。

對著車夫笑了笑。

「GAME SET?」

「……似乎是這樣。」

車夫自馬車上跳下，從外側打開車門，彬彬有禮地朝茱莉伸出手。有如武器般的尖銳髮型，差點刺到茱莉的臉。當茱莉扶著他的手步下馬車之後，車夫挺起胸膛：

「以殺人罪逮捕茱莉・蓋爾！」

茱莉瞬間笑了出來。

接著又轉變為冷若冰霜的神情，往警察局走去。

2

位於警察局裡的一個房間，茱莉・蓋爾就坐在德・布洛瓦警官、維多利加和一彌前面。警官的兩個部下不知為何被關在門外，手牽手站在門前。

——這個警察局雖然不屬於布洛瓦警官的管轄範圍，但是因為維多利加事先報案，再加上貴族的尊貴身分讓他擁有發言權，因此警官根本就把這裡當作自己的轄區，愛怎樣就怎樣。

大得不像話的房間裡有點昏暗。房間中央有張毫無裝飾的長桌。照明是講求實用的單球燈泡，而房裡粗糙的木椅，只要稍微移動就會發出吱嘎聲響。

茱莉・蓋爾以不可思議的表情端坐在椅子上，對維多利加說：

「妳怎麼知道犯人是我?」

維多利加與德・布洛瓦警官,不知為何幾乎同時打開皮包取出菸斗,銜進嘴裡。點火吸上一口,維多利加對著發問的茱莉,警官對著受到質問的維多利加,緩緩吐出一口煙,然後——

「……『智慧之泉』。」

維多利加冷淡地回答。

待她發現茱莉、警官,以及一彌全都緊盯著自己的臉,只得百無聊賴地攏起長長的金髮:

「要我說明是吧……首先,妳一開始就說謊。」

「……說謊?我?」

茱莉眨眨眼睛。

維多利加點頭:

「自我介紹時。茱莉・蓋爾。實業家的千金,『在寬廣的房子裡過著自由自在……』」

一彌不可思議的說:

「為什麼妳知道那是謊言呢?」

「久城,你應該記得吧?她在思考時一定會出現的習慣動作。」

維多利加站起,學著邊玩弄胸前項墜邊走動的動作。每走五步就轉身,再走五步,又轉身。不斷重複這樣的動作,抬起頭來。

「……對吧？」

「什麼對吧？」

發現三人都愣住，維多利加似乎很不耐煩：

「你們想想看，在寬廣的房子裡過著自由自在生活的人，會做出這樣的動作嗎？」

「到底是怎麼回事？」

「這種動作，是居住在狹窄場所——每走五步就會碰壁的大小——的人，才有的習慣。」

「……意思是說她住的房間很小？」

「這也無法否定，如果把範圍更加縮小的話——」

維多利加在椅子上重新坐正。

以低沉沙啞的聲音說：

「例如監獄的單人房，或是醫院的病房、房子裡的閣樓。長時間無法外出就會變成這樣。」

德・布洛瓦警官不知為何坐立難安地搖晃身體，清清嗓子。

斜眼瞄過，維多利加小聲說：

「古雷溫，我剛剛所說的只是一般論。並沒有其他的意思。」

「……………」

警官沒有回答。

維多利加繼續說：

「我很感謝『外出許可』的事。」

「……………」

一彌對兩人間的怪異氣氛感到有所疑問，頻頻來回對照看著兩人的表情。

維多利加再度轉回茱莉：

「妳詐稱自己的身分。另外還有件重要的事——妳從一開始就持有武器。」

一彌驚訝地叫出聲來。

「武器？」

「沒錯，她在莫里斯找到武器打算使用時，用手槍將莫里斯射殺。當時她說槍是在中途偶然找到的……這也是謊言。」

「妳怎麼知道？」

「從手提包的重量。」

維多利加指著茱莉的手提包。

「一開始在休息室時，那個手提包非常重。久城，你應該還記得打到你的頭時，發出很大的聲響吧。」

「嗯，當然。」

「當時裡面就已經放著槍了。所以手提包才會那麼重。之後拿出槍來又丟棄之後，她不小心掉了手提包，我把它撿起來。」

「是啊，我還記得……」

一彌記起維多利加把手提包丟還給茱莉時的情景。手提包似乎很輕，輕飄飄飛過天空……

「聶德・巴士達之所以要取我們的性命，並不是因為他是犯人。恐怕他也是和十年前的事件有關的男人之一吧？和莫里斯一樣，相信我們當中混有企圖復仇的『野兔』，因而暗自害怕。所以才想要在自己被殺之前，先下手將我們殺掉。」

房間……恢復一片寂靜。

終於，茱莉點頭。

「沒錯……」

表情出奇開朗，好像罪行揭穿被捕反而讓她鬆了一口氣。茱莉以直率的口吻說：

「是我做的。準備郵輪、發出邀請函。我打算殺掉所有的人之後，讓船沉入海中。但是卻發生意料之外的誤算……羅珊已死，毫無關係的人代替她上船。這點讓我十分擔心。心想絕對不能害死你們，讓我一直心浮氣躁。」

茱莉淡淡微笑。

「看到你們，我就想起過去。當時有個名叫楊的中國少年，溫柔又可靠，幫了我不少忙。

雖然最後還是被聶德・巴士達殺害……久城，我看到你就想起他。」

「妳可以告訴我們，十年前究竟發生什麼事情嗎？」

德・布洛瓦警官插話進來。

茱莉點頭。

「……好吧。」

接著，茱莉開始述說。

十年前的夜裡在這個城市的路邊，被關進裝有鐵窗的黑色馬車。和一群年輕人一起在那艘船——真正的〈QueenBerry號〉上醒來。惡夢般的夜晚就此開始。

夥伴一一死亡、修伊的背叛、帶著受傷的夥伴們爬上甲板。

以及，生還的「野兔」在那裡看到的東西……

獨白 —monologue 5—

我們沿著泡水的走廊前進，爬上船頭方向的樓梯，往甲板前進……

我背上揹著麗的身體，變得越來越重。我每走上一階樓梯，膝蓋便顫抖不已。但是只剩我有辦法揹她。兩個少年被修伊擊中，傷口不斷出血，臉色越來越蒼白，另一位少女則是受到驚嚇，一直哭個不停。如果我不揹的話，就只能把麗丟下。

我不知道無力趴在我背上的麗，究竟是還活著，或是早已死去。每往上爬一階，她的黑髮就輕輕晃動。巧克力色的光滑肌膚也逐漸失去健康色澤。

——就這樣不斷往上爬，我們終於來到甲板。

天色已逐漸亮起。

昨夜在船尾甲板上，因為周遭被深沉的黑暗包圍，所以什麼都看不到。但現在黎明的光線從東方的天空照亮甲板。從灰色海面打來波浪，寧靜接近又退後。

以顫抖的雙腳，一步一步前進，來到無線電室。

打開門……

繚繞在房間天花板附近的白煙，如同霧氣般遮蔽視線。

當我們渾身是血進入房間時，原來在房間裡的九個成年男子一起回頭。

有人正玩著紙牌、有人抽著雪茄、有人正在閱讀文件。

雪茄的白煙冉冉升到天花板。

男人們看到我們，個個目瞪口呆。

然後一起喊叫：

「是哪個國家！」

「說出你們的國籍！死的又是哪些人！」

「很好，這傢伙是蘇瓦爾人！同盟國在哪裡!?」

他們抓住我們的肩膀，粗暴地用力搖晃。

手持白蘭地酒杯的男子站起身來。在這群男人當中，他看起來是比較年輕的。大約是三十五歲左右吧……抓住中年紳士的手臂：

「算了、算了，先慰勞一下他們。」

「莫里斯……」

「來吧。」

被稱為莫里斯的男子，俯視愣住的我們，舉起兩手——

「啪啪啪……！」拍起手來。

「勇敢的野兔！歡迎你們！」

男人們也附和著他，開始拍手。

那種笑容、笑容、笑容……

簡直就是瘋了。

——我無力撐住背上的麗，害她滑倒地上。我叫了聲：「麗……！」馬上蹲下，只見一個男人俯視著我——

凝視麗的黑髮與巧克力色肌膚。

用鼻子哼了一聲——

「阿拉伯嗎。」

然後用腳輕踢倒在地上的麗。

我發出叫聲。

可是麗一動也不動。說不定真的死了……

我將手伸進口袋，緊緊握住先前想還給她的心型項墜，不禁流下眼淚。

那群男人遠遠看著我們。

「英國活著吧。」

「當然。那傢伙是『獵犬』。活著回來了。」

「還有，這是……法國、義大利、美國……以及蘇瓦爾。」

他們面對面互相點頭。

——房裡還有個奇怪的人。她坐在輪椅上，用紅色亞麻布蓋住頭部，滿布皺紋的皮膚，擋住半個眼眸。

是個老女人。

她的前方放著銀壺、銅壺和玻璃壺，滿是皺紋的手中，握著一面閃著金光的鏡子。

「一個青年即將送命……」

極為低沉的聲音。

男人們回頭對著老婆婆——

「羅珊大人！」

「他的死是所有的開始。

世界將成為石頭開始轉動。」

房間內鴉雀無聲。

羅珊婆婆大叫：

「按照預言去做！這麼一來，這個國家將會越來越富強！」
「是……！」
男人們低下頭。
不知道究竟發生什麼事，我只能呆站在一旁。
（預言……？這是怎麼一回事……？）
最後老婆婆搖搖頭，以粗啞的聲音笑著宣布：
「『野兔賽跑』到此結束。立刻沉掉箱子！然後把『野兔』養肥！」

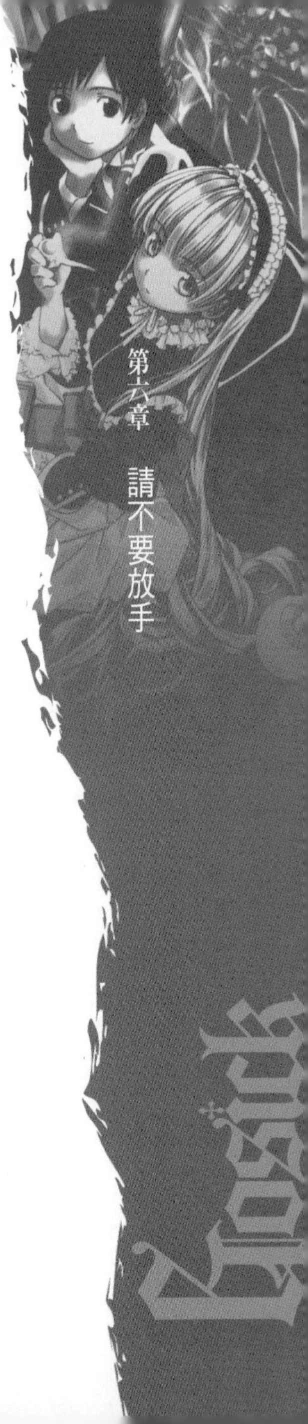

第六章　請不要放手

1

茱莉在警察局的房間內，結束她漫長的告白。

房間回歸寂靜無聲。

維多利加與德・布洛瓦警官手裡拿著的陶製菸斗，兩條細細的白煙，裊裊上升到天花板。

沒有任何人說話。最後茱莉以低沉的聲音說：

「……我一直搞不清楚這究竟是怎麼回事，因此感到十分痛苦。不過，維多利加，妳這位小偵探應該知道吧？」

一彌抬起頭，看到茱莉咬著嘴唇，目不轉睛盯著維多利加。

一彌看了一眼維多利加的側臉。從她的表情看來，似乎已經將混沌重新拼湊，正在思考如何將它語言化。

德・布洛瓦警官則是一副這些內容已經超過腦容量的模樣，以空虛的眼神盯著窗外的飛鳥。窗口的朝陽照在尖銳的金髮上，閃耀著淡淡金色。心不在焉的警官手中拿著菸斗，白色煙霧像惡作劇般緩緩飄散。

維多利加慎重地、緩慢地開口：

「就我推測，恐怕是——大規模的占卜吧。」

「……占卜!?」

茱莉大叫。搖搖頭說：

「死了那麼多人，而且船也沉了……這究竟是怎麼回事？到底是占卜什麼？用什麼方法？這麼做一定花了很多錢吧!?」

「久城，我曾向你說過——」

話題突然轉到自己身上，一彌嚇得跳起來。

「什、什麼？」

「古代的占卜——先知摩西曾經做過的木棒占卜。」

「啊……好像聽過。」

「為了占卜未來成為以色列人民領導者的人物是出生於哪個種族，因此準備十二支寫有各種族名稱的木棒。那支木棒的命運，也就是種族的命運。」

「嗯……」

「而且占卜師羅珊也在庭院裡飼養野兔。但似乎經常放獵犬去獵殺——有些野兔被殺，有些野兔活了下來。活下來的就小心飼養，養得肥肥的。」

維多利加在此中斷。

茱莉的臉色越來越陰沉。

「恐怕羅珊是以野兔來占卜吧？把野兔冠上想占卜的人名，再把獵犬放進野兔裡，利用哪隻野兔存活來占卜未來。」

「妳所說的野兔，該不會就是我們……？」

維多利加頷首。

「可是，為什麼要這麼做？我們是人啊!?」

「我推測這是更大規模的占卜……有好幾個可以作為材料的混沌碎片。世界各地十一個不同國籍的孤兒、羅珊說過：『他的死是所有的開始。世界將成為石頭開始轉動。』、當時的男人說：『同盟國在哪裡!?』，以及修伊所說的這艘船發生的事情就是『未來』，重要的是『國籍』。」

維多利加聲音變低。

「還有，那是發生在十年前──一九一四年春天。」

「……啊！」

一彌大叫。

所有人都回過頭來。

一彌急忙說：

「啊，沒事……對不起。說到十年前，我就想到那一年六月發生的『塞拉耶佛事件』，因此爆發世界大戰。不過這應該沒有關係吧。」

「不，告訴你，這是有關係的──這正是答案。」

維多利加說出的話讓茱莉發出叫聲：

「怎麼回事!?」

──一九一四年六月底，奧地利皇位繼承人在塞拉耶佛被人暗殺。奧地利要求引渡犯人，引起塞爾維亞政府反彈，然後其他國家紛紛給予以支援。奧地利、匈牙利、德國等國一起與義大利、美國對抗，最後擴大變成世界規模的戰爭……

維多利加以低沉的聲音說：

「現在我們也只能推測，十年前政府相關人士感覺到世界的危險氣息，因此找來知名占卜師，打算解讀世界的未來。於是他們準備大規模的舞台──名為〈QueenBerry號〉的箱子，並且放入從世界各地找來的「野兔」。在到處充滿陷阱的箱子裡，還有擔任「獵犬」角色的英國少年。箱子裡的年輕人則各自肩負他們國家的未來。」

「怎麼會……！」

「占卜是準確的。」

維多利加攏起金髮。

「你們回想看看那場世界大戰——喂！半吊子好學生久城！」

「……什麼！」

「你說一下戰爭的結果。」

一彌雖然困擾，但還是吞吞吐吐的說：

「世界大戰是分成同盟國和協約國兩個陣營……嗯……最後是協約國勝利。同盟國是……德國、奧地利、匈牙利，以及土耳其……」

「久城，協約國陣營呢？」

「呃……有法國、義大利、英國、美國，還有蘇瓦爾（註：史實裡還包括中國）……」

維多利加緊盯著茱莉。

眼瞳中沒有浮現任何表情。茱莉則因苦惱用力咬著嘴唇。

「怎麼會這樣……」

「占卜的確是準確的。」

「……」

「在那艘船中，年輕人分成兩邊。正是同盟國和協約國。首先是匈牙利少女觸發陷阱而死亡，接著土耳其少年也被槍打死。而英國少年則靠著說謊活了下來——沒錯，英國在那場戰爭中正是騙子。德國和奧地利的少年也死亡、中國少年被槍擊斃（註：在第一次世界大戰時，中國於一九一七年正式加入協約國陣營，對同盟國宣戰。可是在大戰勝利後的凡爾賽和約中，列強將德國原本在山東的權利轉讓與日本，進而引發中國民眾群起反對的「五四運動」）。而阿拉伯少女……」

「麗……！」

「阿拉伯被捲入那場戰爭之中，國土變得四分五裂。」

茱莉哭了。

在一旁看著的維多利加，表現出有點困擾的表情，然後從口袋裡掏出看來相當高級的手帕，戰戰兢兢遞給茱莉。

看到茱莉接下擦拭眼淚，維多利加臉上浮現鬆了口氣的神情。

茱莉在啜泣中發問：

「那麼……他們是以我們的行動為基礎，進行之後的政治活動對吧。」

「沒錯。」

維多利加點頭。

「歷史上蘇瓦爾加入協約國，參加世界大戰。羅珊和相關人等已經不在人世，沒有人知道究竟其中哪些是偶然、哪些是必然……總之，占卜是準確的。當然這並非客觀的事實，而是主觀的事實。只能說『野兔奔跑』的結果，成為政治家與貴族、外交官員等人心理上的責任迴避而已。」

茱莉抬起頭來。

「真是過分。」

然後緩緩說出自己事後的遭遇。

因為事發之後一直難以從驚嚇中恢復，所以在療養院待了很長一段時間。在穩定之後終於出院，接著便開始調查當時的事情。

存活下來的年輕人裡，有人自殺，有人成為殺人犯已被處刑，完全看不出他們的未來有所發展。麗則生死不明……說不定在當時就已死亡。

可是只有修伊改名為聶德．巴士達，活得好好的。看到他成為舞台劇演員活躍的報導，於是將他列入復仇對象。

十年後的現在。

或許是因為當時「養肥野兔！」的指示，讓她獲得許多財產。在散盡所有財產打造出箱子的仿製品〈QueenBerry號〉之後，便送出邀請函——

將他們齊聚一堂。除了已遭殺害的羅珊。

——警察局的房間裡十分安靜，讓人難以想像是在述說這樣的故事，氣氛變得非常沉靜。或許是因為遭到逮捕的茱莉本身安靜坐著說話的緣故。

茱莉保持沉默一會兒之後，又抬起臉詢問維多利加：

「嗯……妳是從什麼時候開始，知道我是犯人的呢？」

一時之間，維多利加保持沉默。

「在射殺莫里斯時確定的。但是最早懷疑妳是在休息室裡清醒過來的時候。」

茱莉呆然若失。

「……為什麼？」

「一開始妳就在休息室的門邊，因為想要打開門而發出喀嚓喀嚓的聲響，還為了門遭上鎖而大吵大鬧。但是之後另一個男人去開門，卻輕輕鬆鬆就把門打開。但他卻被門上所設置的弩槍機關給射死。」

「是啊。」

「門從來沒有上過鎖。當時妳之所以假裝門上鎖引起騷動，就是為了阻止他們離開那個房間。因為要讓他們看到隱藏在壁紙下的字，告訴他們這是什麼儀式——想必妳早已決定要殺掉他們了吧？」

「……沒錯。」

茱莉仔細端詳維多利加小巧的臉孔。

維多利加先移開視線。

「但沒有確切的證據。所以當時只是有這樣的想法而已。」

「這樣啊……」

茱莉噗嗤笑了。然後指著一彌：

「吶，小偵探。妳因為這個緣故，緊緊握著這個男孩子的手對吧？因為他不知道我就是犯人，還和我聊天聊得很高興。」

「唔……」

「即使嘴裡不停說著他的壞話，卻不肯把手放開……妳很擔心他吧？」

「………」

維多利加裝作沒聽到。

一彌一臉驚訝，來回看著茱莉與維多利加——回憶起逃進船裡的事，自己想要保護維多利加而緊握她的手，沒想到維多利加更擔心自己……

——最後，要離開房間時，茱莉低聲說：

「對了，小偵探。」

「……別這麼叫我。」

「有什麼關係。嗯……我第一次看到妳的時候，就覺得好像曾經在哪裡見過妳……」

茱莉仔細盯著維多利加的臉孔——

「我想起來了……」

一旁的德・布洛瓦警官不知為何突然嚇一跳，肩膀開始發抖。

「在療養院裡曾經遇到長相和妳十分相似的女士。那是……什麼人呢……」

僅僅一瞬間，維多利加睜大綠色雙眼。

然後搖搖頭：

「不知道。」

「是妳的姊姊嗎？還是……」

「……」

維多利加沒有回答，僅是向茱莉揮揮手，表示再見。

2

訊問結束了。

一行人走在警察局的走廊上。穿著制服的警察、看起來像是刑警的男人在寬廣的走廊上忙碌往來，不時有警察回過頭來，看著一彌和維多利加，懷疑這裡為什麼會出現小孩子。

彎過轉角，頭戴兔皮獵帽的男子兩人組奔跑過來。德・布洛瓦警官停下腳步。

「警官！」

「剛才接到聯絡！」

保持手牽手的狀態，兩人組用力揮手。

「已經逮捕先前殺害羅珊，畏罪逃逸的女傭了！」

「現在正在送往此地的途中……啊！您看！來了！」

茱莉・蓋爾回頭看著他們手指的方向，忍不住吸了一口氣。

兩側有警察押送，朝這個方向走來……是個美麗的阿拉伯女子。黑髮與光滑的巧克力色肌膚，在走廊油燈的照耀下發出健康光澤。

那位女子抬頭發現茱莉之後，也倒吸一口氣。

兩人都已成為大人，長相跟小時候大不相同。但是只要看著眼瞳，依舊可以找到和過去一樣的光輝。兩人半信半疑地互問：

「難道妳是、麗……？」

「……艾利克斯？」

睽違十年的再會，就在短短的一瞬間，在走廊下擦身而過，便結束了。

對著阿拉伯女傭的背影，茱莉以顫抖的聲音說：

「警官，那是……殺害羅珊的犯人嗎？」

「是的。」

「是嗎……原來麗也在十年後報仇了……」

茱莉的手伸向脖子，抓住心型項墜。從那天起保管至今的心型項墜，也是麗最重要的幸運護身符。為了要還給她而從樓梯撿回，但卻一直沒機會還給她……茱莉抓住項墜的手，用力將它扯下——

「麗！」

聽到呼喚聲，麗回過頭來。

茱莉丟出的項墜劃過天際。

麗掙開警察的手，伸出手臂，接住項墜。

「……妳的護身符，還給妳！」

語言不通的麗偏著頭。

舉起一隻手，微微做出有如揮手的動作之後，再度被警察帶走。身影消失在走廊轉角。

茱莉・蓋爾佇立在原處，凝望空無一人的走廊。

尾聲 約定

1

「……就這樣，幽靈船〈QueenBerry號〉再度沉入海中。過去的亡魂們結束復仇，墜入深深的幽暗海底。」

天氣晴朗的早晨。

在聖瑪格麗特學園校舍後院裡，有個可以眺望各式盛開花朵的花壇，兩個小孩子就坐在樓梯的第三階，湊近著臉正在交談。

兩人的面前，盛開的百花沐浴在陽光下，發出眩目光輝。香甜的花香讓鼻孔隱隱發癢。走過花壇間的小步道，遠遠就可以聽到學生們說話的聲音。這個樓梯可以說是個祕密場所，除了結伴聊天的這兩個人之外，不見其他人的蹤跡。在人口眾多的學校之中，就像個人跡罕至的孤立地區，是個可以放鬆心情的地點。

在這裡的兩人，一個是身高不高，看起來一本正經的東方少年，另一個是俏麗的金色短髮在風中飄蕩，身材苗條的白人少女。

少女——來自英國的留學生艾薇兒・布萊德利一雙眼睛睜得大大的，聽著少年說話。

久城一彌看著她的臉，內心不禁暗自得意。

（很好很好，看來我已經成功扳回一城了。而且艾薇兒所講的不過是怪談而已，我所說的可是真實事件喔！）

不斷點頭，心中認定自己已經獲勝。

（我贏啦！耶～～！）

「……噗嗚嗚嗚嗚～！」

「咦？」

艾薇兒忍不住笑起來。

「討厭啦！討厭啦！久城同學你真是的！哈哈哈哈哈！」

不知為何，艾薇兒坐在樓梯上，修長的手腳手舞足蹈，大聲笑了起來。每當風吹翻動裙襬，便露出令人眩目的長腿。

「妳在笑什麼？」

「因為，想也知道不可能嘛！」

艾薇兒用手背擦掉因為笑得太過分而冒出來的眼淚。

「久城同學真是的！」

「我說的都是真的！」

「真是的～～！我告訴你，我絕對不會相信！」

艾薇兒伸出食指，擺在一彌臉孔面前左右搖晃，嘴裡說著：「胡扯！」一彌眼睛跟著那根食指晃動，不禁變成鬥雞眼。

當他心中想著到底是怎麼回事時……

「你說那個翹課大王維多利加是個女孩，還是個大美女，而且還是……名偵探？」

「……這、這都是真的啊！要不然我們一起去大圖書館的最上層，維多利加真的在那！」

「哼哼！我才不會被騙呢！」

艾薇兒裝出一付討人嫌的表情，朝著一彌伸出舌頭。不僅是笑容，就連這裝鬼臉的表情也一樣可愛。一彌一時之間不知道該說些什麼。

「而且，要我爬上處處都是迷宮樓梯的大圖書館最上面一層，門都沒有！我才不相信有人會做這種傻事呢！」

「………」

維多利加也這麼說過……一彌心情低落，接著艾薇兒又壓低聲音，以和述說幽靈船話題時同樣低沉的聲音說：

「而且那個大圖書館也有怪談呢。『迷宮樓梯的最上方有個金色妖精』……哇啊啊啊啊！」

「哇啊啊啊啊！」

「哈哈哈哈哈～又上當了！竟然害怕得發出尖叫！久城同學真是膽小鬼！」

「……不是的，剛才我是被妳的尖叫嚇到，才不是膽小呢！而且那是真的，只不過不是妖精而是人類，不過離群索居的樣子，說她不是人類也……總之維多利加……」

「是是是，總之你少吹牛了，到──此──為──止──」

艾薇兒彈一下手指。

一彌有如反射動作一樣冒出一句：

「……對不起。」

又道歉了。不知道為什麼，來到這個國家之後，自己明明沒做錯什麼事，卻總是向同年齡的少女道歉……可能是自己想太多吧。

艾薇兒滿臉笑容：

「雖然我不知道你怎麼會想到偵探這個角色，不過我知道故事的來源是什麼──我早就看過今天早上的報紙啦！」

「……今天早上的報紙？」

「看！是這個對吧？我早就知道啦！」

艾薇兒得意洋洋拿出今天的報紙，一獮掃過上面的頭條新聞。

「……啊、啊、啊啊啊～」

看到一彌發出怪異聲音，艾薇兒嚇了一跳。

從報紙的背面露出朝氣蓬勃又可愛的臉孔：

「……你怎麼啦，久城同學？」

「被、被、被搶功了！」

「咦？」

新聞的標題——

這麼寫著：

「德・布洛瓦警官再度大展身手！

精彩解決『幽靈船QueenBerry號事件』！」

——一彌握著報紙站起身。

艾薇兒驚訝地仰望他的臉。

「你、你怎麼了？久城同學？」

「……我有點急事。艾薇兒，待會兒見！」

把一臉訝異的艾薇兒丟在花壇，一彌奔跑離開。

這時一位身材嬌小的女性，搖晃著及肩的褐髮，穿越花壇間的小徑走來。一張娃娃臉，大大的圓眼鏡配上眼尾下垂的眼睛——原來是塞西爾老師。

找到一彌之後，滿臉笑容說道：

「哎呀，久城同學，真是太巧了。」

「啊，老師……我有點急事……」

「你的急事是要去大圖書館對吧？」

「不……咦？啊，對……您怎麼會知道？」

老師微笑著說：

「能夠讓久城同學急忙奔跑的，一定就是這件事啦！來，這個給你。請交給維多利加。」

把上課講義和平常一樣交給一彌。一彌只好乖乖收下。

「為什麼說……一定呢？」

心裡不可思議地如此思考，再度跑了起來。

這時慢了幾步走過來的艾薇兒，目送一彌離去的背影，嘴裡喃喃自語：

「什麼嘛。原來是要去找維多利加啊。哼——」

賽西爾老師微笑點頭：

「是啊，他們感情很好呢。」

「老師，他到底是個怎樣的男孩子啊？」

賽西爾老師眨眨圓眼鏡後面的眼瞳。

晃晃食指——

「哎呀，艾薇兒同學。維多利加是女生喔！」

「什麼～～！」

艾薇兒大叫。

「她真的是女生……對了，還有她的名字……？難道剛才說的那個故事……」

稍微偏偏頭，然後又用力搖頭。

「……怎麼可能，想也知道一定是瞎編的故事。」

艾薇兒這麼喃喃自語。

早春的暖風吹拂，兩人的頭髮和裙裾在風中飄蕩。

天空碧藍澄澈，看來今天一整天都會是個好天氣。

「這樣啊。維多利加是女生。嗯……」

艾薇兒鬧彆扭似的嘟起嘴。

「好像有點嫉妒的感覺呢。」

溫暖的春風再度吹拂。

吹動艾薇兒的短髮與裙裾。像是受到影響，花壇裡的各色花朵，也在風中搖晃不已。

2

「維多利加——！」

——言歸正傳，這裡是聖瑪格麗特大圖書館。

有著兩百年以上的歷史，是歐洲屈指可數的歷史建築物。

角柱型的大圖書館，整面牆壁都是巨大的書架。中央是挑高大廳，高聳的天花板上有著莊嚴的宗教畫。書架之間以細窄的木製樓梯相互連結，有如巨大迷宮般不可思議的建築物。

據說，很久以前，國王為了和情婦在此幽會而故意建造成迷宮狀的大圖書館——

今天早上，一彌也一邊呼喊某個少女的名字，衝上迷宮樓梯。

「維多利加————！」

「……你不用這麼大聲，我也聽得到。」

——在頂樓。

細細的白煙朝著天花板上升。少女一頭解開的漂亮金色長髮垂落在地，獨自一人抽著菸斗。白煙從菸斗冒出，朝著射入明亮陽光的天窗升起。

鬱鬱蒼蒼綠意滿盈的植物園。端坐在溫室裡的地板上，對著呈放射狀攤開的大量書籍，以百般無聊的態度與驚人的速度跳躍閱讀。

有如故障洋娃娃般的姿勢。

——維多利加。

維多利加瞄到聳肩用力喘氣衝上樓來的一彌：

「每天跑還真辛苦。」

「……我說。」

「即使對心臟造成負擔，往下一看就臉色發白，大腿也痠痛不已——可是衝上樓梯大喊好像已經變成你每天的例行公事了。這真是不可思議的留學生活啊！」

「別說得好像和妳無關一樣！我還不是為了找妳才這麼辛苦!?」

「這我知道。我只是單純指出事實而已。」

「胡扯！妳絕對不懷好意！不懷好意！」

「那又怎樣？」

「唔……沒怎樣。」

回到學校裡的維多利加，又恢復成一本正經又略帶嘲諷，平常在圖書館裡早已司空見慣的模樣。

一彌了解口頭爭論不可能贏過她，於是乖乖撤退。

然後把從艾薇兒那裡拿來的報紙遞給她。

「算了，維多利加，妳先看這個。」

在憤怒的顫抖中窺探著維多利加的表情，沒想到當事人維多利加卻是一臉平靜。沉著讀過報紙的報導後只是點點頭。

「原來如此。」

「……這全部都是妳的推理啊！而且是因為妳報案才得以逮捕犯人，之後的推理也和妳在警察局裡的說明一模一樣。當時德·布洛瓦警官根本就在看著窗外的小鳥啊!?一臉根本搞不清楚狀況的表情，看著遠方。這種事情……」

「唔。」

維多利加一邊打呵欠，毫無興致地說聲：

「哥哥就是這麼一個庸俗的傢伙啊。」

「就是啊。那個警官是個庸俗的傢伙沒錯……等一下，維多利加，妳剛剛說什麼？」

「哥哥是個庸俗的傢伙啊。」

「請問……妳說的哥哥是誰？」

維多利加愣了一下。

把菸斗從嘴裡拿出來，隨著白煙一道吐出幾個字：

「古雷溫。」

「……他、他是哥哥？」

「嗯，對啊。」

「唔……誰的？」

「我的。」

「唔…………不會吧——————!?」

一彌大喊。

凝視著維多利加有如精緻洋娃娃般端莊嬌小的模樣。

然後在腦海裡浮現長相英俊，衣著華麗，但是髮型卻怪到極點的德・布洛瓦警官的模樣。

……完全不能理解。

抱頭。

然後目光突然落在剛才丟在地上、塞西爾老師交待的講義。每天都從老師手裡接過講義，轉交給維多利加，但是從沒認真看過。

先前就知道維多利加是貴族——從她的態度與舉止立刻就能得知……記得她的名字好像是維多利加・德・……

「嗚啊……」

講義上清楚寫著維多利加的名字。

——「維多利加・德・布洛瓦」。

一彌抬起空虛的眼神看著她。維多利加口啣菸斗，盯著一彌不放。

「久城，你沒事吧？看你臉色不太對。」

「為什麼妳跟警官同姓呢？」

「因為是兄妹的關係啊。」

「不會吧——————！」

一彌大叫。

可是，這麼說來……維多利加和警官除了同是貴族之外，似乎沒有其他共通點，但是他們專心抽著菸斗，喜歡往別人臉上吐煙的習慣，倒也不能說是完全不像。除此之外，外貌、頭腦完全沒有相像之處……

一彌一臉正經詢問維多利加：

「為什麼？」

「……又不是我的關係。」

維多利加一臉不悅，轉身面對另一邊。但是不論轉向哪邊，一彌都跟著繞到她的面前，連連質問「為什麼？」、「為什麼？」。

好像是吵不過他似的，維多利加終於開口：

「久城，你一直都不知道嗎？」

「嗯！」

「真是個怪人。」

「可、可、可是，難道妳告訴過我嗎？」

維多利加偏著頭。

猶如絲絹窗簾般帶著閃亮光澤的金髮搖動。

最後終於邊打呵欠，嫌麻煩地說：

「……我是沒說過啦。」

「所以我當然不知道啊！」

「真是的，你怎麼這麼吵啊！」

這個話題似乎讓維多利加感到生氣，開始對一彌視若無睹。像是要逃避到先前不怎麼感興趣的書籍裡，故意埋頭苦讀起來。

可是一彌還是不死心，不斷發出「啊……」、「嗚……」、「不會吧……」的聲音，還咳個不停，維多利加總算受不了他，抬起頭來。

「你真的很囉唆耶！」

「因為……」

「也就是說——」

雖然厭煩到極點，還是開始說明。

「他是古雷溫·德·布洛瓦。是布洛瓦家的嫡長子，也是布洛瓦侯爵。雖然是個庸俗又愛好女色的傢伙，也是個完全搞不清楚狀況的警官。但因為是長子，所以是父親正統的繼承人。我們雖然是血緣相繫的兄妹，但是從不曾在正式場合碰面。」

「……為什麼？」

「這是因為……」

維多利加皺起眉頭。

「我的母親是情婦。古雷溫的母親是流有貴族血統的元配。也就是說我們是同父異母的兄妹。」

「可是，因為這樣……」

「而且我的母親還是個危險人物。雖然是個舞者，但同時也是個瘋子，在先前的大戰還曾經……算了，這個不提也罷。」

一提起母親的事，維多利加頓時變得饒舌。但是又立刻閉嘴。

一彌突然想起這個學校裡有好幾個關於維多利加的傳聞。

有傳聞說她是貴族的庶子，也有人說她受到族人疏遠，大家都不願和她住在一起，所以才把她送來學校，還有人說她的生母是個發瘋的知名舞者，甚至有人說她是傳說中的灰狼轉生等等。

〈QueenBerry號〉事件的犯人，茉莉・蓋爾也說過，曾經在療養院裡見過一位與維多利加極為相像的美麗女士——

維多利加雖然話變少了，還是開口說：

「……也就是說，我是高貴血統與危險人物所生下的後代。而我自己本身也因為和普通小孩的長相不一樣，所以一直被隔離在布洛瓦家中。進入這個學校之後，我也無法離開這裡。」

「怎麼會這樣……」

「上週我可以離開這裡，是因為大哥給我特別的『外出許可』──條件是他必須同行。雖然他途中忘記有這麼一回事就獨自折返了。所以，我自己也不知道，下次要到什麼時候才可以離開學校。」

「維多利加……」

一彌無言。

回憶起上週外出時的事情。一副不習慣的維多利加。從火車和馬車探出身體，直盯著窗外風景的維多利加。還有看著海上升起的朝陽看到入迷的維多利加。

當她說我並不討厭美麗的東西，一彌提議下次再一起去看海時，不知為何寂寞地笑了……

維多利加吞雲吐霧抽著菸斗，以開玩笑的口吻說：

「我是遭到囚禁的公主呢。怎麼樣，一點都不像吧？」

「………」

溫室裡一片沉默。

天窗落下春日和煦的陽光，照耀在沉默的兩人身上。茂盛的植物在大窗鑽入的微風吹拂下輕輕搖擺。和地上不同，這裡非常靜謐，只要兩人不說話，就聽不到任何聲響。

維多利加開口：

「……就是這麼回事，公主總是非常無聊的。」
「嗯……咦？」
有種不祥的預感，一彌的表情僵住。
抬起頭來，只看到維多利加一臉耍賴的表情。雖然難以說明是哪種表情，但是根據經驗就可以知道——
「啊……好無聊啊。」
「我該去上課了……」
正打算站起來，褲子卻被拉住，害他跌倒在地。
「好痛！」
「無聊啊！喂！我說我很無聊耶！」
「對不起……？」
現在不是自己該道歉的時候，所以打上一個問號。
維多利加手舞足蹈地搖晃身體。
「公主都說她很無聊了！謎題～她想要解謎啊！」
「妳這麼說我也沒輒啊。現在又沒有什麼不可思議的事啊！」
「即然如此，你就到下面去找出不可思議的事啊！」

「才不要。而且根本沒有嘛！」

「沒有就自己製造啊！快去被捲入什麼事件，然後煩惱得要死……」

「少胡說八道！」

維多利加的動作越來越誇張。或許真的是無聊到家了吧？

「啊！真無趣！好無聊、無聊得快要死掉了。我一定會死掉啦！喂！久城，這麼一來，你本來就夠少的朋友又要少一個啦！」

「……少亂說話！我會生氣喔！」

「好無聊……」

突然變安靜。

咦？感到不可思議，偷窺維多利加的臉龐，她小小的頭已經朝著這邊垂下不動。

「喂！喂！維多利加！妳死了嗎？無聊到死？這算什麼啊!?有『無聊』這種死因嗎？喂!?」

「呼……嘶……」

「……搞什麼啊，原來是睡著了。真是嚇死人了。」

維多利加小巧的金色頭部就靠在一彌肩上。她從剛才就不斷打呵欠，一定是睏了吧。

因為周末出門到處冒險的關係，在最初的早晨感到疲倦想睡是常有的事。雖然對維多利加來說是很少有的事情……

一彌決定放棄去上課，繼續把肩膀借給維多利加。
心想這麼坐著確實是很無聊。隨手拿起一本她打開的書看看，但那是以難懂拉丁語寫成的哲學書，連一頁都看不完，就忍不住丟到一旁。
遠處有小鳥鳴囀。
春天到了。
真是美好的季節。

抱膝而坐的一彌，對著沉眠中的維多利加低聲細語：
「維多利加，下次我們倆再一起……」
有點害羞。
心想反正她睡得正熟，就繼續說下去：
「出去玩吧！然後，再去看看從海中升起的朝陽好嗎？」
應該睡得正沉的維多利加突然睜開綠色的眼瞳。
「……約好了喔！」
只說出這麼一句話，又靜靜閉上眼睛。

後記

大家好，我是櫻庭一樹。

謹獻上新作《GOSICK》，還請多多指教。

……現在大約是十一月中旬，我正處於今年最大的壓力中。事情源起於一封昨天晚上收到的MAIL——那是非常照顧我的責任編輯K藤發的。雖然只是個小要求，但從某種意義來說一點也不小。

這個要求是在武田日向小姐所繪製，供書店宣傳使用的《GOSICK》插畫素材上，以手寫的方式留下一些給讀者的訊息……啊啊，這樣的宣傳讓我非常高興。但是高興歸高興，在MAIL的最後卻寫著：

「請寫出『請多指教GOSICK!:櫻庭一樹』這樣的感覺，像是高中女生在撒嬌一樣的文字喔!:掰!:」

壓力真大。我寫了。花了半天的時間，寫了二十張左右。寫了又揉掉、寫了又揉掉……簡直就像是昔日文豪康德般拚命寫。

也就是說，花費五倍於寫這篇後記的時間與集中力，來寫那個撒嬌的訊息。啊！真的會用到嗎？真是懷疑……如果各位在書店看到的話，那就是它啦！請花個數秒的時間看看吧！如果不夠撒嬌的話，那真是抱歉了。我會繼續努力的。

說起來，當我還是個高中女生時，幾乎不曾做過撒嬌這類的事情，寫出來的字也很普通。我稍微回想一下……卻只能想起當時翹課跑去圖書館生吞活剝那些書，社團活動（當時我是網球社）結束之後總是一群女生跑去麵包店，一邊討論打扮或電影的話題，一邊吃冰棒。這麼說來，在看《校園漫畫大王》時，總是覺得心有戚戚焉，自己的高中生活的確是這樣沒錯……

啊！說到網球社，我有個壓箱底的軼事。那是關於我是「米子東高校硬式網球社最後的短褲隊」一員的故事。但因為那實在太好笑了，所以放在後記的最後。這次的後記很長喔！為了讓大家乖乖看到最後，只好學綜藝節目耍點心機。請各位一定要上勾啊！Please。

光是撒嬌就扯了兩頁，有件事情應該先說的。這次的新作《GOSICK》，在長篇版的本書之前，就曾經在《DRAGON》（註：角川書店所發行的輕小說月刊）十二月號刊載過短篇。那是參加龍皇杯的作品。結果如何還不知道，不過活動還沒有結束。希望讀過短篇之後感到興趣的人，也能夠買下這本書，所以才會跟雜誌配合在相同的時間出書。但是沒有看過短篇的人，也能夠很愉快地看這本書。還請多多指教了。

《GOSICK》這個書名是責任編輯K藤取的。這位編輯就是在其他作家的後記中被稱為「Braindead K氏」的人。Braindead是什麼意思啊？英文很爛的我一直想。是腦死嗎……？可是從用法來看又不對。感覺上應該是智多星或智囊之類的用法，而他的確是個這樣的人，我也非常感謝他。

根據這位K藤先生的說法，《GOSICK》有表面上的意義和內在的意義。關於內在的意義，就如同前面我所說，我的英文很爛所以完全沒有察覺，簡而言之就是：「櫻庭小姐的身邊不是有很多怪胎嗎？」所以取這個名字。似乎有這樣的意義在。很多怪胎……我是想到好幾個，但是把同業朋友的事情拿來說嘴只會給他們造成困擾（其實造成困擾也沒關係啦），所以在這裡我只得忍痛大義滅親，犧牲我重要的女性友人，寫幾個怪胎的故事（還沒有寫到短褲隊的故事喔）。

【其一】

朋友偷了貘犬。

「貘犬」就是進入神社時裝飾在入口處左右，用石頭刻成的那個。她是用台車把它偷走的。而且發生在新宿被龍捲風般的大颱風襲擊的夜晚……這傢伙到底在幹嘛呀！

她是個身材嬌小，有雙圓滾滾可愛大眼睛的國中數學教師。其實塞西爾老師就是以她為範本。不是恐怕，而是絕對很受學生喜愛。的確是很受歡迎啦～可是她真的是個怪人。我保證學生們絕對不知道（大人是狡猾的生物，只會把怪異的一面展露在知心朋友面前）。

按照她的說法，因為附近的神社暫停營業，她很怕自己喜歡的那對「帥氣的貘犬」被丟掉，所以就打電話給有車的同事，請他來當偷竊貘犬的共犯。結果被拒絕（↑理所當然）。沒辦法，只好借來台車，在颱風中進入到處蓋著藍色帆布施工中的神社，靠著怪力把貘犬抬上台車。大雨之中當她與貘犬四目相望，當下感受到一見傾心的命運（她是這麼說的）。結果正在施工的老伯出現，在她背後不知呼喊些什麼。她想或許是問需不需要幫忙吧？但是她當時只是一心想要親手把貘犬帶回家，因此頭也不回，就喀啦喀啦推著台車沿著甲州街道逃跑了。

聽完這件事情，我腦中所想到的是，那個老伯怎麼可能說出「我來幫忙吧！」這種話……一定是大喊「偷貘犬的賊！站住！」當我在附近的沖繩料理店聽到她敘述這件事，冷靜指出這一點時，她只是笑笑什麼都沒說。可是卻在第二天從學校電腦送出抗議MAIL給我，完全不肯讓步。當老師的人腦袋真是硬梆梆啊。
這位朋友剛剛才在午休時間從學校打電話給我，就在我正在扮演文豪時，她說……

獏犬小偷：「喂喂，要不要去看『追殺比爾』？」
櫻庭一樹：「哇！就妳這種人會找我去看怪電影。」
獏犬小偷：「這種怪電影，除妳之外我也找不到別人可以陪我去看。這禮拜去吧！」
櫻庭一樹：「……其實我上禮拜已經看過了。」
獏犬小偷：「可惡！妳這個怪胎！」

……電話掛斷。她感到非常不滿。這個獏犬的故事還有後續。當她全身濕淋淋回到家，正把獏犬搬進房間時，養在房裡的美國短毛母貓（↑名字是木村拓哉）突然發出嚕嚕嚕的叫聲，發瘋似的在房間裡衝來衝去，完全無法制止。她很緊張，認為一定有什麼東西附身在獏犬上，於是把獏犬塞到外面陽台。搬到外面之後，木村拓哉就恢復原狀了。真是有如恐怖片般的結局啊！我還是認為當小偷是件要不得的事。

【其二】

在獒犬的故事之後，不論寫什麼都好像不夠力……

我上空手道課的道場的師姊，跑去動了鼻子手術。

她是個大美人兼高手師姊，也是位知性成熟型的粉領族，同時還是全日本大會輕量級冠軍。附帶一提，我在這個大會中每次都在很前面的時候就輸了，不過這事就不提了。這位又美麗又強的師姊卻有個意外的弱點。那就是「容易噴鼻血」。根據她的說法，她的鼻黏膜本來就很脆弱，小學時常常在教室裡流鼻血。即使現在已經長大，但是在運動過後血液循環變好，常常就會突然噴出鼻血。在道場練習時也經常如此，大家總是手忙腳亂抱著面紙盒、毛巾、抹布衝上前去呼喊：「師姊！」然後獻上去。

當然在比賽時也會流鼻血。這次在某個重要比賽之前，師姊到附近的耳鼻喉科詢問醫師。於是就用藥品動了點小手術，以防止鼻血流出。比賽當天，師姊在我們這些跟班面前自信滿滿地宣言：

「今天絕對沒問題！我已經動了手術了。」

耳鼻科的醫師表示，可以撐上一個月不會流鼻血。我們半信半疑地回答：「……是！」

然後比賽開始。師姊順利打敗對手晉級。好強！好帥！我們忘記最初的不安，忘我地加油。然後，準決賽開始，只剩下一分鐘。整個會場因近身肉搏而沸騰……然後……

噗噗——————！

……果然噴出來了……比賽也為之中斷，『待選手鼻血止住再繼續比賽……』廣播響徹整個會場。

我們頓時愣在原地。某人發出「……明明已經動過手術……」的喃喃自語，也消失在會場的吵雜聲當中……

【其三】

在各位讀者的腦海裡，應該出現一幅美女空手道高手不斷噴出鼻血，現場有如地獄一般的景象吧？繼續下一個話題。這也是個漂亮的朋友，不過表情稍嫌嚴肅了點，據說如果不是那麼恐怖的話，應該會更受歡迎才對。職業是護士，如果不開口的話就是個白衣天使，可是一開口卻是個毫不留情（尤其是對男性）的人。

有一天早上她在洗臉時，右手的小指順手一滑，就這樣插進鼻孔深處，鼻血霎時滔滔流了出來，害她上班遲到。

……對不起，只有這樣。寫到關於鼻血的事情，我就不由得突然想起她。

【其四】

同樣是不苟言笑美女的故事。覺得她是個不解風情的人，挑不出什麼毛病，但又是個問題多得出乎意料的人。其中之一就是內衣。

她穿金色的胸罩。

我們姐妹淘四人，今年夏天一起前往常夏之島普吉島旅遊。海！水果！泰國拳！我們住在一間有許多蜜月夫婦也在此住宿的豪華大飯店。因為要住五個晚上，而且又都是女的，所以就有人洗好內衣掛在浴室裡晾乾。

早上我醒來，進入浴室，發現晾著一件金光閃閃的胸罩。

我避開視線。

再看個清楚。

胸罩還在那裡。這不是幻覺，它就在那裡。

我抱住頭。默默洗臉、刷牙、走出浴室之後，比我早起的兩個人也一臉僵硬，各自坐在自己的床鋪上。我們面面相覷，又別開視線……有個人鼓起勇氣開口。

貘犬小偷：「不是我喔。」

櫻庭一樹：「……絕對不是我。」

另一個人：「也不是我啊！」

然後三個人一起慢慢回頭望向剩下那個人……不苟言笑的美女躺在床上，依舊睡得很香甜。醒著的時候雖然恐怖，但是像這樣沉睡不說話，看起來就好像天使一樣。

在她還在夢鄉時，我們決定她的綽號是「金光胸罩」，並且無條件通過。貘犬小偷還高興得翻滾了幾下。終於起床的金光胸罩則是「為什麼？人家不要啦！用之前的名字叫我啦！」暴跳如雷地抗議，但終究無法勝過多數正義。

但是，即使如此……

平常連笑都不笑的冰山美人，沒想到竟然會穿著那種有如拉斯維加斯豪華歌舞秀的內衣。

這次我學到了這個教訓：人啊！真的只有在僅穿內衣袒誠相見時，才能看得到某些部分啊！忘了問在哪裡買的。驚……!?

呢！啊啊～～多麼驚人哪！

……我怎麼會寫著寫著就寫到這裡來呢？啊！對了，是因為後記的頁數比平常還要多的原因。不過還是有在前進的喔！希望我的朋友不要看到這本書。

差不多該寫「米子東高校硬式網球社最後的短褲隊」的故事了。不過事實上並不是那麼有趣的故事。在我加入的網球社中，很明顯的分成硬式就是硬派，軟式就是軟派的系統。對我們這些加入硬派的硬式網球組新進社員，最痛苦的就是「一年級專屬運動短褲」這個持續十年以上的「傳統」。

二年級、三年級的學姊都穿著名為網球裙的飄逸白色迷你裙。裡面還穿上繡滿蕾絲的內褲。但是只有一年級「上面穿T恤、下面穿運動褲」。T恤太長，看起來就好像忘記穿短褲的粗心鬼一樣。這已經夠痛苦了，那些穿立領制服的應援團員還會在我們每次經過時故意大叫：「短褲隊！短褲隊來啦！大家快出來～！」雖然拿著球拍狠狠追打他們，他們還是笑個不停。這麼做反而讓他們覺得更好笑吧。

更痛苦的是，即使離開學校的範圍，在外面還要一邊精神抖擻地喊著「東高～～！嘿喲！嘿喲！」一邊跑步不可。因此校外也多少知道短褲隊……真是蠢到家了。

撐過一年，心想：「今年總算可以穿網球裙啦！飄逸的蕾絲！」時，最後的悲劇降臨了。繼任社長的學姊突然宣布：「這種毫無意義的傳統就廢了吧！從今年起，一年級也可以穿網球裙。」是個改革派啊。但這真是急轉直下……！我們那一年又是為了什麼呢？

因此，短褲隊從那一年起就突然消失無蹤，我們也就這樣背負著「最後的短褲隊」（記得有七人）的十字架，與一年級學妹一起去買網球裙……和其他故事相比的話，好像很平淡嘛？

啊啊啊，這篇後記好長啊～感謝各位耐著性子讀到這裡。

差不多該進入總結了～

這次也受到責編K藤和相關人士的照顧。武田日向老師把和笑容滿面的八重佳（註：負責本作插畫的武田日向老師漫畫作品《可愛動物日記》裡的主角）完全不同類型的主角，畫出可愛又充滿透明感的插畫，真是感激不盡。明明是一臉生氣模樣，卻讓人想要用手指戳一下臉頰鼓鼓的維多利加，感覺真是棒透了！太感激了。

還要對讀過這本書的讀者致上謝意。希望大家都能看得高興。有機會再見囉。掰掰～～！

櫻庭一樹

Kadokawa Fantastic Novels

艾莉森Ⅰ
作者／時雨沢惠一　插畫／黑星紅白
ISBN986-766-477-9
淘氣女飛官艾莉森與乖乖牌優等生維爾，為了尋找吹牛老爺爺所說之「可以結束洛克榭和斯貝伊爾兩國之間戰爭的寶物」，踏上了一段不可思議的飛翔冒險之旅。

艾莉森Ⅱ
作者／時雨沢惠一　插畫／黑星紅白
ISBN986-718-968-X
艾莉森與維爾為了冬季研修而一起旅行，他們來到某個村莊，那兒的村民們起初表現得十分親切，哪知喝了他們的奉茶後竟然昏倒而被綁架。其實這個村子是……？

艾莉森Ⅲ〈上〉車窗外的路妥尼河
作者／時雨沢惠一　插畫／黑星紅白
ISBN986-742-708-4
維爾和艾莉森接受班奈迪所贈送之橫越大陸、連接兩國的鐵路首航之旅，心中雖不解，但仍十分享受這趟豪華旅程。沒想到車上的服務員竟接連遭到殺害……！

艾莉森Ⅲ〈下〉名爲陰謀的列車（完）
作者／時雨沢惠一　插畫／黑星紅白
ISBN986-174-024-4
在不知犯人是誰的情況下，維爾和艾莉森只好跟著班奈迪與史托克少校一起回去，而後又發生了更多事件……！喧騰一時的〈上〉集所留下的伏筆，究竟是什麼？

莉莉亞＆特雷茲Ⅰ 於是兩人踏上旅途〈上〉
作者／時雨沢惠一　插畫／黑星紅白
ISBN986-174-097-1
15歲的莉莉亞，在暑假的某日與同年玩伴特雷茲結伴旅行，卻在旅途中遭遇不少波折……《奇諾の旅》時雨沢惠一＆黑星紅白聯手獻上的新系列冒險故事！

莉莉亞＆特雷茲Ⅱ 於是兩人踏上旅途〈下〉
作者／時雨沢惠一　插畫／黑星紅白
ISBN986-174-118-6
特雷茲與莉莉亞一起踏上旅途。兩人一時興起在當地參加水上觀光飛行，怎知卻莫名其妙地被數架飛機追殺，並不知不覺捲入了一場陰謀——！

莉莉亞＆特雷茲Ⅲ 伊庫司托法最長的一日〈上〉
作者／時雨沢惠一　插畫／黑星紅白
ISBN986-174-200-X
莉莉亞與艾莉森受特雷茲之邀前往伊庫司托法過年。為了讓小倆口單獨相處，艾莉森刻意獨自上街。特雷茲原想藉機說出自己的真實身分，沒想到跨年夜瞬間變色！

Kadokawa Fantastic Novels

莉莉亞＆特雷茲Ⅳ 伊庫司托法最長的一日〈下〉

作者／時雨沢惠一　插畫／黑星紅白

ISBN986-174-2301-1

伊庫司的女王以及她的夫婿竟然被綁架了!?剛歡度新年的莉莉亞與特雷茲為了救出女王而潛入王宮，但沒想到陰謀的背後竟然隱藏一個媲美歷史性大發現的祕密！

涼宮春日的憂鬱

作者／谷川　流　插畫／いとうのいぢ

ISBN986-7427-88-2

第八屆「Sneaker」大賞受賞作。校內第一怪人涼宮春日，組了個「為了讓世界變得更熱鬧的ＳＯＳ團」，而外星人、未來人與超能力者皆應涼宮的願望出現了!?

涼宮春日的嘆息

作者／谷川　流　插畫／いとうのいぢ

ISBN986-7299-20-5

率領ＳＯＳ團的涼宮春日，這次把歪腦筋動到校慶去了！只要她隨口一句，那些外星人、未來人、超能力者就會吃盡苦頭——暴走度ＮＯ.１的校園故事再次展開！

涼宮春日的煩悶

作者／谷川　流　插畫／いとうのいぢ

ISBN986-7299-53-1

一無聊就會發動異常能量的涼宮春日，這次又突發奇想，號召ＳＯＳ團參加棒球大賽、舉辦七夕許願活動、前往孤島合宿……瘋狂ＳＦ校園喜劇第三彈！

涼宮春日的消失

作者／谷川　流　插畫／いとうのいぢ

ISBN986-7189-18-3

聖誕節即將來臨的某一天早上，突然變得不太尋常。教室一如往昔，座位也沒有改變，可是涼宮卻不在我後面的座位上…光怪陸離、超脫現實的校園系列第四集！

涼宮春日的暴走

作者／谷川　流　插畫／いとうのいぢ

ISBN986-7189-80-9

當學生的總希望快樂的暑假永遠不要結束。可是當這樣的願望成真時，竟變成一個永無止境的大災難!?「五」入歧途的阿虛苦難系列安可上演！

涼宮春日的動搖

作者／谷川　流　插畫／いとうのいぢ

ISBN986-174-048-1

一向唯我獨尊的涼宮春日，在校慶當天竟然日行一善當起救火隊來……更意外的是，居然有人向長門告白……日本熱賣三百萬部之涼宮系列，第六彈動感上市！

Kadokawa Fantastic Novels

涼宮春日的陰謀
作者／谷川 流　插畫／いとうのいぢ
ISBN986-174-160-7

從8天後過來的朝比奈學姊突然出現在我面前。而且，指派一無所知的她過來這個時間點的人，竟然是我。未來的我到底有什麼陰謀？劇力萬均的第七彈登場！

涼宮春日的憤慨
作者／谷川 流　插畫／いとうのいぢ
ISBN978-986-174-264-9

新任學生會長下令文藝社即日起休社，此舉擺明就是衝著SOS團而來，也侵犯到長門的權益與領域。不服輸的春日旋即展開文藝教室保衛戰……第八彈登場！

奇諾の旅Ⅰ the Beautiful World
作者／時雨沢恵一　插畫／黑星紅白
ISBN986-7664-77-9

『世界並不美麗。正因為如此才顯出它的美』。以短篇小說的形式串聯出人類奇諾與會說話的摩托車漢密斯的旅行故事。前所未見的新感覺小說登場。

奇諾の旅Ⅱ the Beautiful World
作者／時雨沢恵一　插畫／黑星紅白
ISBN986-7664-95-7

人類奇諾與會說話的摩托車漢密斯的旅行故事。以短篇小說的形式，串聯出前所未見的新感覺小說第2彈！書中登滿了超人氣黑星紅白的彩色插圖!!

奇諾の旅Ⅲ the Beautiful World
作者／時雨沢恵一　插畫／黑星紅白
ISBN986-7427-08-4

當奇諾跟漢密斯還在師父家的時候，奇諾她們的住處來了三名山賊？（「說服力」）。收錄共6話的內容。蔚為話題之新感覺小說第3彈！

奇諾の旅Ⅳ the Beautiful World
作者／時雨沢恵一　插畫／黑星紅白
ISBN986-7427-41-6

來到某個國家的奇諾與漢密斯，看到一對吵得很兇的男女……（「兩人之國」）。收錄共11話的內容。蔚為話題之新感覺小說第4彈！

奇諾の旅Ⅴ the Beautiful World
作者／時雨沢恵一　插畫／黑星紅白
ISBN986-7427-60-2

前往某個國家的奇諾與漢密斯遇到一名男子。那男子希望能與她們同行，但是奇諾斷然拒絕。接下來……（「能殺人之國」）。收錄共10話的內容。

Kadokawa Fantastic Novels

奇諾の旅Ⅵ the Beautiful World
作者／時雨沢惠一　插畫／黑星紅白
ISBN986-7427-89-0

等待出境的奇諾與漢密斯遇到一名男子。那男子說過去殺了人，為了乞求原諒便跟一名女性出來旅行。（「她的旅行」）。收錄共11話的內容。

奇諾の旅Ⅶ the Beautiful World
作者／時雨沢惠一　插畫／黑星紅白
ISBN986-7299-19-1

奇諾與漢密斯遇見了「移動之國」並入境。而那個「移動之國」前往的地方還有個「禁止通行之國」，之後……（「困擾之國」）。收錄共8話的內容。

奇諾の旅Ⅷ the Beautiful World
作者／時雨沢惠一　插畫／黑星紅白
ISBN986-7299-71-X

奇諾與漢密斯拜訪一個國家，該國全體國民都有戴「眼鏡」的義務，而那付眼鏡是用來……（「無法做壞事之國」）等。超人氣系列作品最新作!!

奇諾の旅Ⅸ the Beautiful World
作者／時雨沢惠一　插畫／黑星紅白
ISBN986-174-027-9

奇諾跟漢密斯抵達一個城牆連綿不斷的大國，他們一直沿著城牆行駛尋找入境的城門，可是……（「城牆的故事」）。收錄共15話的內容。

七姬物語 第一章
作者／高野和　插畫／尾谷
ISBN986-174-258-1

七姬空澄是賀川城所推舉出來的公主殿下。就在她微服出巡的時候，賀川城突然遭到四姬琥珀姬的大軍攻擊。落難的空澄姬此時終於體會「七姬」的真意……

GOSICK 1
作者／櫻庭一樹　插畫／武田日向
ISBN986-174-267-0

來自東方的留學生久城一彌與老是待在學校圖書館的天才貴族維多利加，在陰錯陽差之下搭上幽靈船〈QueenBerry號〉。他們是否能運用智慧解開「混沌」呢?

糖果子彈 A Lollypop or A Bullet
作者／櫻庭一樹　插畫／むー
ISBN978-174-162-3

只想趕快畢業、步入社會的山田渚，和自認為是人魚的轉學生海野藻屑，在真實與謊言、現實與幻想交織的青春片段。《GOSICK》作者櫻庭一樹的新感覺小說！

國家圖書館出版品預行編目資料

Gosick / 櫻庭一樹作 ; 洪嘉穗譯,──初版.──臺北市：臺灣國際角川, 2007〔民96〕冊；公分

譯自：Gosick一ゴシック一
ISBN 978-986-174-267-0（第1冊：平裝）

861.57 95025072

Kadokawa
Fantastic
Novels

GOSICK 1

（原著名：GOSICKーゴシックー）

2023年9月27日　二版第1刷發行

作　　者：櫻庭一樹
插　　畫：武田日向
譯　　者：洪嘉穗

發 行 人：岩崎剛人
總 編 輯：蔡佩芬
副 主 編：楊鎮遠
美術設計：黃永漢
印　　務：李明修（主任）、張加恩（主任）、張凱棋

發 行 所：台灣角川股份有限公司
地　　址：104台北市中山區松江路223號3樓
電　　話：（02）2515-3000
傳　　真：（02）2515-0033
網　　址：www.kadokawa.com.tw
劃撥帳戶：台灣角川股份有限公司
劃撥帳號：19487412
法律顧問：有澤法律事務所
製　　版：巨茂科技印刷有限公司
ISBN：978-986-174-267-0